Collins

Big book of
Su Doku

Book
12

Published by Collins
An imprint of HarperCollins Publishers

HarperCollins Publishers
Westerhill Road
Bishopbriggs
Glasgow G64 2QT
www.harpercollins.co.uk

HarperCollins Publishers
Macken House
39/40 Mayor Street Upper
Dublin 1
D01 C9W8
Ireland

10 9 8 7 6 5 4 3 2 1

© HarperCollins Publishers 2023

All puzzles supplied by Clarity Media

ISBN 978-0-00-867116-7

Printed and bound in the UK using 100% renewable electricity at CPI Group (UK) Ltd

The contents of this publication are believed correct at the time of printing. Nevertheless the publisher can accept no responsibility for errors or omissions, changes in the detail given or for any expense or loss thereby caused.

A catalogue record for this book is available from the British Library.

If you would like to comment on any aspect of this book, please contact us at the given address or online.
E-mail: puzzles@harpercollins.co.uk

facebook.com/collinsdictionary
@collinsdict

MIX
Paper | Supporting responsible forestry
FSC™ C007454
FSC www.fsc.org

This book is produced from independently certified FSC™ paper to ensure responsible forest management.

For more information visit: www.harpercollins.co.uk/green

EASY
SU DOKU

PUZZLE 1

	2		7					
5			2	6		7	3	1
7					5			
	5	8		3		6	1	2
		3				8		
2	4	7		8		3	5	
			5					6
1	7	9		2	3			4
					1		2	

PUZZLE 2

2		8		4			1	9
		5						8
1	4			5	6	7		2
				8	3	1	5	
	3	2	1	7				
4		7	6	1			9	5
8						6		
9	5			3		2		1

PUZZLE 3

	7	6		9		8	2	
1			8		6			7
	9					6		
	8	1			7		3	9
		9				2		
7	3		9			1	8	
		8					6	
9			4		8			2
	5	3		6		7	1	

PUZZLE 4

		6			1	2	8	
	3		8	4	6			7
				5				
6		7		3	8		5	1
		5				8		
4	8		9	1		7		2
				6				
9			2	8	4		7	
	5	8	1			4		

PUZZLE 5

6				7			5	
					8	9		6
1	9			4			7	8
8	7	9					3	
5	1						9	7
	6					8	2	5
7	4			3			8	9
9		8	7					
	5			9				2

PUZZLE 6

	2	6		3	4			
			1	2	5	6		
9			6			3		1
		9		5	2			
4	6						3	2
			4	6		9		
5		2			6			4
		7	5	4	3			
			2	9		5	7	

PUZZLE 7

	2	9	1		4	3		5
3			5			2		
7		5			3	1	8	
		1		8				
2								8
				3		4		
	8	7	3			5		2
		3			2			6
9		2	7		6	8	4	

PUZZLE 8

			7		5	6	8	
6	2			8				
7	8				1			
		1	8	9			7	6
	9		3		7		2	
8	7			5	6	9		
			1				5	2
			3				6	8
	6	2	5		8			

PUZZLE 9

7		4			5	8	2	3
				8		1	4	
	8							7
	2		8		3			1
		8	1		7	9		
4			5		2		3	
2							8	
	4	5		7				
8	7	6	4			2		5

PUZZLE 10

1				5			2	
	9	5			2		6	7
3	7	2		4		5		
	4							
	2	3	7		1	9	4	
							7	
		7		3		6	9	4
2	3		4			7	5	
	5			7				8

PUZZLE 11

6	7				1		4	
3	1			5	4	9		
	8	4	7			3		
	9							
	4		1	7	5		9	
							5	
		7			8	4	3	
		8	3	4			7	9
		3		5			8	1

PUZZLE 12

	5		8					
	9	8			4	7	3	1
6								
	2		5	9		1	4	
5		1		8		9		2
	3	9		4	2		5	
								4
4	8	5	9			3	6	
					5		1	

PUZZLE 13

8				1	9	5	3	
	5							9
			6			1		
6		5		9			4	2
4		2		7		9		6
9	3			2		7		5
		3			2			
5							9	
	1	4	9	8				3

PUZZLE 14

	5				9			
4							7	
6	7	2	4	3				
2			5	9	8			7
3		7		2		9		6
1			3	6	7			2
				4	1	5	6	8
	4							1
			9				3	

PUZZLE 15

7	9	4		2	1			8
8		1	7	5				3
				8	9			
		8	4					1
				1				
2					7	4		
			9	3				
3				4	6	1		5
4			1	7		6	3	9

PUZZLE 16

1		4		2	3			
6	3		7	9		2		
8	9							
9				8	5			3
	1			7			5	
5			2	4				9
							1	2
		8		1	2		9	5
			9	5		3		8

19

PUZZLE 17

7	5	1					6	8
8	2		5					
4			8		1			
1	3			8				
	8		1	4	5		3	
				6			9	1
			9		8			2
					7		8	6
2	7					4	1	9

PUZZLE 18

8								4
3		2		8	9			
4	6		1		3	8		
9			2		6		8	
			7	9	1			
	4		3		8			6
		9	8		5		6	3
			6	1		9		8
6								1

PUZZLE 19

2	6							
1		4	5	2		6	9	
5		9			1			4
		8		3	5			
	5		9			2		
		2	1			7		
9			4			1		7
	4	3		1	5	9		2
							4	5

PUZZLE 20

6					5	9	3	
	9	5		3	6	8		
2				4		5		
	5				7			
	2	6		9		3	5	
			6				2	
		9		6				3
		2	9	7		4	6	
	6	4	3					8

PUZZLE 21

			9					2
2	4	7	6	3		1		
				2	5	3		
1		9				2		
		8	5	9	2	4		
		4				8		6
		1	2	4				
		2		5	3	9	4	8
4					9			

PUZZLE 22

				8				7
1	5		9	4			8	
				1		9	5	2
5			3				9	
8			1	6	7			5
	2				5			1
3	9	5		7				
	4			5	9		6	3
2				3				

PUZZLE 23

	1	6	9	2			3	8
8		5				2		
		4					6	1
	2			9				
3		9		7		1		6
				4			7	
9	6					4		
		8				3		2
4	5			3	9	6	1	

PUZZLE 24

8	2		9	5				4
	9	3		4			5	
7	4		6	2		8		
						1	4	
				6				
	7	9						
		7		8	4		6	1
	8			1		9	3	
3				9	6		8	7

PUZZLE 25

9	5		2					
		4		5	3			
2			4		7	1	5	3
6			7		9			
	7			6			9	
			5		2			7
8	2	9	3		5			1
			9	2		4		
					6		3	9

PUZZLE 26

7			4	5		8	6	
5	4	8		6	3			9
8							3	2
3		4		2		9		5
2	6							1
6			5	9		3	2	4
	8	5		3	2			6

PUZZLE 27

	5					2	8	3
					2	4	6	5
		4						1
		6	1		4	7		
5	9			7			4	8
		7	2		8	3		
1						6		
8	6	3	4					
7	4	5					1	

PUZZLE 28

3	1	6			4		8	7
					8			5
		7	3			1	4	
	4			5	7			
6			8					1
		9	4				3	
9	2			4	7			
5		8						
4	6		1			8	5	9

PUZZLE 29

			4					
1	9	5				4	3	
8	2	4	7					9
	1		8			7		
5	3			9			2	1
		2			1		4	
2					3	1	7	8
	7	1				3	5	4
					7			

PUZZLE 30

			1	9	3		2	
3							6	1
		7		4		3		
	5	6		1			4	
		4	6	3	9	5		
	3			5		6	8	
		3		2		8		
4	6							2
	2		7	6	5			

PUZZLE 31

		3			9	6		2
4		7		3		9		
1	6			5	8			
					4		3	
9		6				4		7
	4		8					
			9	8			4	6
		1		4		8		3
8		4	3			5		

PUZZLE 32

4			5					
9				7	6			
2	6		9			5		1
6	9			5			4	
	3	4				8	9	
	8			9			1	5
3		6			5		8	7
			3	6				4
					2			3

PUZZLE 33

6		5		9	8			3
8				5	6	7		
1	3							
3		8	7		5	1		
		7	6		9	3		5
							1	8
		6	9	1				7
7			8	6		9		4

PUZZLE 34

3					7			6
	7	1		6	2			
		2	3					8
	3			2	9	4		
2	6						7	9
		4	7	3			2	
4					1	9		
			2	5		1	4	
5			4					2

PUZZLE 35

			8			9		
	4			5	2	3	8	1
					4	6		
		5	4		8		1	7
	9						3	
1	8		5		3	4		
		9	7					
5	1	3	2	8			4	
		8			5			

PUZZLE 36

		5				3		
	8			9	7		5	
		1			5		6	7
	1	4		6				5
9	5						8	3
2				5		1	9	
1	3		2			5		
	2		4	8			3	
		8				9		

PUZZLE 37

		9	3		2	6		
8				9	6			
2	7		1				5	3
6		5	9					7
9					4	1		5
5	9				3		1	2
			8	1				9
		1	5		9	7		

PUZZLE 38

								4
8		9			1	3		
	1	3	8	6				2
	8				7	6	5	
7			2		9			8
	9	5	6				2	
9				8	6	2	3	
		1	3			5		7
3								

PUZZLE 39

			8		4		3	7
4		3	2	7	5		9	
6				2			1	
	9	7	6		1	3	2	
	1			8				6
	2		4	9	8	7		1
1	4		7		3			

PUZZLE 40

9	4		5				8	
3	8			2	6			
	5		3					2
		4		3				
8	2		1		5		7	6
				8		2		
7					3		2	
			7	1			6	5
	3				2		9	7

PUZZLE 41

7					5	9		
4		8		2	3		6	5
			6					
		3	2	5	9	6	4	
	8	9	4	1	6	3		
				8				
8	1		6	7		5		3
		4	3					1

PUZZLE 42

	3					1	5	
		4	3					
2	8				1			3
	7	9	2	1		6		
5	4						7	1
		3		5	9	2	4	
6			4				1	9
					6	3		
	5	8					6	

PUZZLE 43

						8		
	5	1					4	7
8	4		6		1	2	3	
			3	5	4		6	
		3				5		
	6		9	2	8			
	8	4	7		5		2	3
5	3					1	7	
		2						

PUZZLE 44

		6						
		7	5		6	4		2
4			8		9			6
6				9		5		4
	4		6		1		9	
7		9		2				8
2			9		7			1
5		8	1		2	3		
						7		

PUZZLE 45

6					5			
8		1		3				5
	2	5	1	6		3		
	8			1	4		5	
			7		9			
	7		5	2			9	
		2		7	1	5	3	
1				9		2		7
			4					1

PUZZLE 46

6		1			8			
	9		6					
8				5	2			
1	7				4	9		6
9	6		2		7		4	3
5		4	3				7	1
			8	6				9
					1		6	
			4			7		8

PUZZLE 47

	9	8		5		6		
1	3			9	4	2		
7		5						8
		9		6				
8	5						3	6
				4		5		
5						7		9
		3	5	8			6	4
		4		2		3	8	

PUZZLE 48

6	2		1	5				4
		5		6	9	1		2
					8			
	3							8
9	7	8				2	1	5
2							3	
			5					
8		2	3	7		6		
4				8	1		2	7

PUZZLE 49

	4	5						
6	9		1	3	2		5	4
	2							
		6		4	3		7	
9			8		7			2
	7		5	6		8		
							1	
1	6		9	2	8		4	5
						2	8	

PUZZLE 50

		3		9			2	5
	5		3		1	7		9
				4				8
			1	3	5			
3			9		8			1
			7	4	2			
5			4					
2		1	6		9		8	
9	4			1		3		

PUZZLE 51

			4		5	6		9
5	1			9		3	8	
7		5	9	1			3	2
9								7
2	8			7	4	9		6
	9	8		4			2	3
1		2	5		3			

PUZZLE 52

		3						
7	8			2			9	3
	9			7	4		1	8
	2		6	1				9
1								6
3				9	8		5	
9	7		1	4			8	
2	3			5			6	4
					3			

PUZZLE 53

					6			9
2			3		9	1		
4						6		8
		2	4		8		5	6
		4	2		3	8		
8	1		9		5	4		
7		5						3
		9	7		1			4
1			5					

PUZZLE 54

		7		2			9	1
	3			9	1		7	
5	9		6				8	
			4				5	
3		5				6		4
	4				7			
	8				9		4	5
	5		7	8			3	
9	2			4		8		

PUZZLE 55

	1	4			3	7		
	3					8		
7		8	1			5		
		5	4	9	1			
1			7		8			9
			5	3	6	1		
		9			7	6		3
		3					1	
		1	3			9	2	

PUZZLE 56

	9	3						
8	1		5	9				
5	7	6			4			9
		1		5				8
	5		8		7		4	
4				3		6		
6			7			2	9	4
				4	5		7	6
						5	8	

PUZZLE 57

	2	5	6		9			
7	8						1	
4		9		8				
				6	2	7		8
		6	8		7	5		
8		7	1	3				
				5		8		2
	5						4	3
			2		6	1	5	

PUZZLE 58

7	4		9		6	1		8
	2		4					
6	1							9
9					5	2		
	7	2				3	8	
		5	2					1
2							1	3
					4		5	
8		7	1		2		6	4

PUZZLE 59

7		8					1	2
	6			2				
	2	1				6		4
6			5			9	3	
		3	4		6	8		
	7	5			8			6
9		2				3	5	
				8			4	
8	4					1		9

PUZZLE 60

2								
		1	3	2	5		8	
	6	8	1					
		3	9		6	2	7	
6		9				4		8
	1	2	8		4	6		
					3	8	2	
	3		2	7	9	5		
								7

PUZZLE 61

9		6		1		8	3	
		1					5	
	5	8	7		6	2		1
				9	1			
		9				6		
			5	6				
7		5	6		3	9	8	
	4					3		
	9	3		5		1		2

PUZZLE 62

	6	8						7
	1		7		3			
		7	1			5	8	9
8	5						2	
		1	5		9	8		
	7						4	5
7	8	5			6	4		
			2		4		9	
4						6	5	

PUZZLE 63

		4			8			5
					3	7	9	6
6	3			7	9	1		
			7	3	4		1	
	4		2	5	6			
		6	1	9			7	4
5	7	9	3					
4			8			9		

PUZZLE 64

8				9	6		2	
2								9
		1			4	8	5	6
	8		2		9			
9		2				3		5
			6		5		8	
6	2	9	4			5		
4								1
	5		3	6				8

PUZZLE 65

9				8		5		3
4		5			1	2		
					5	9		1
		3		1	4	8		
1								5
		7	5	6		3		
2		1	9					
		8	1			4		2
5		4		2				8

PUZZLE 66

	6		8					
4	9		1					8
1			3		9		5	
8	5		7				2	4
	7						9	
9	4				8		3	7
	8		5		7			1
7					1		4	2
					6		8	

PUZZLE 67

2			4	9				6
		1						5
8	4		5		6	1		
1				8				
	3	8	6		7	4	1	
				4				7
		6	7		2		9	4
4						6		
3				6	4			1

PUZZLE 68

1								5
5							7	
	3		9	5		6		2
		1	7	8			2	3
	2		3		1		8	
3	8			4	9	1		
9		3		7	2		5	
	5							6
6								9

PUZZLE 69

			9	2			8	5
						3		
3		8	4				9	7
5	4			1				
1	2	7				4	5	3
				4			6	1
6	7				2	5		9
		2						
9	8			6	4			

PUZZLE 70

8		5		4	9			
3	7	1	8					
	4			3		5	1	
1	9				5	4		
		3	9				5	7
	8	6		9			4	
				4	7	8	3	
			5	7		1		9

PUZZLE 71

1					4	6		
3			5					
	4		2	6				
7		4	6			1		8
6	1		8		7		2	3
8		9			2	5		6
				1	5		6	
					6			2
		3	4					1

PUZZLE 72

6								
7		5	9			8		
		1	3	2	6			
	1	9		6		7		8
	6		7		8		9	
8		7		3		6	2	
			8	7	3	2		
		3			2	5		7
								6

PUZZLE 73

	2	6	5					
8	4			3	2	5	1	
7					8			
5			8			1	4	
			1		7			
	1	4			9			8
			9					1
	7	5	3	8			6	2
					5	3	7	

PUZZLE 74

		8	4			3		
		7		2	9			4
5	4							9
8	7	9	3	4				
6								8
				7	8	4	9	3
4							8	2
1			2	9		5		
		2			1	9		

PUZZLE 75

	1							5
9	6				5			
5		3		7		4	9	
	4		5		9	3	2	
			7		6			
	8	6	1		2		7	
	3	5		9		8		7
			8				4	3
8							5	

PUZZLE 76

5	3		7	1		4		2
				9			8	1
	1	9						
2		3			8	7	6	
	6	1	9			2		5
						9	5	
3	9			6				
1		5		8	9		2	7

PUZZLE 77

8		3			4	5		
5	2		6			7		4
7	1		8				3	
	7		1					
		5				1		
					5		6	
	3				7		1	9
4		7			1		5	8
		6	3			4		7

PUZZLE 78

				7		4	1	
8	2							
7			6		1	8		5
9	1				6	2		4
		8				6		
2		6	4				8	1
1		7	5		3			2
							3	8
	3	9		2				

PUZZLE 79

	3		1	9	8			
8		4		3				9
	9						3	
6	5		2	4				
		8	5		3	7		
				8	1		6	5
	8						9	
4				1		8		2
			8	2	9		7	

PUZZLE 80

	9	1		2		7		
			7	9	3	4		6
				4				
	4	3					6	1
		8	3		9	2		
6	2					8	3	
			5					
8		6	9	4	2			
		4		8		6	9	

PUZZLE 81

		3	4			5		
2	4						6	
8			5		6	4	2	
		8	2	9			4	3
3	2			4	5	8		
	3	6	7		4			9
	1						3	4
		4			2	7		

PUZZLE 82

		7	3				5	
				9		3		7
		9		7	5		4	
	2			8	9		6	5
9								1
7	8		5	3			9	
	7		4	5		9		
8		2		6				
	9				3	4		

PUZZLE 83

	8	2		1		6		4
			9	6	8			
					2	1		7
	5							9
8	1		5		9		6	2
2							3	
1		9	7					
			1	2	3			
7		8		9		3	1	

PUZZLE 84

7		1			2	3	4	6
		2					9	
9	6				4			
	7	5		8				4
		9				6		
4				7		5	8	
			7				6	5
	2					4		
6	1	3	4			7		9

PUZZLE 85

	2	7						
		4			2	7	3	1
1			4	8				
			8	4			1	
3	5		7		1		9	4
	1			2	5			
				7	8			5
2	7	1	6			8		
						1	6	

PUZZLE 86

4		9	1	7		3		
						9	1	2
							6	7
6				1		5	3	8
		5				6		
9	8	4		6				1
7	9							
3	4	6						
		2		9	4	8		3

PUZZLE 87

8	7		4			3	5	
	4		7					8
1					3	4		
	9		8	1	2			3
6			5	9	4		1	
		2	6					5
5					8		4	
	8	7			5		3	1

PUZZLE 88

	2	8		1				7
		3		5	2		9	1
			3			5		
	3	5					4	8
		9				7		
7	8					3	1	
		7			4			
8	1		7	9		4		
9				8		1	7	

PUZZLE 89

	8	6	2	4		5		
				1				
5	1		8	6			9	
6				2		8	4	
		1				6		
	4	5		8				1
	5			3	1		6	9
				9				
		2		5	8	3	7	

PUZZLE 90

6	9	1	2			5		
5			9		1	3		4
		3			7			
				9	5	1		
		9				8		
		5	1	8				
			7			6		
1		6	5		9			3
		8			3	4	5	1

PUZZLE 91

	5		8	1		3		9
8		2		3				5
3					5			1
		3	6	8				
9								6
				9	2	7		
1			7					4
4				6		2		8
2		6		5	3		1	

PUZZLE 92

4	6		2			1		
1	5	8		6		7		
3					8	6		
				4	9			
	9		7		1		6	
			5	2				
		4	8					6
		5		3		8	2	1
		6			2		5	3

PUZZLE 93

			8	2	9			6
	6		3			8		9
		2		7				
3					5	9	8	
	2		9		3		4	
	5	9	7					2
				8		2		
1		8			2		6	
2			1	9	6			

PUZZLE 94

	3		8					2
								8
2	8		6	1		9	7	
9	5	8	7		6			
	7						5	
			1		9	6	8	7
	9	5		8	7		2	6
8								
6					2		9	

PUZZLE 95

					4	9		3
6				1	9		5	2
			6	5			1	4
	2					4		
9	5						7	6
		6					2	
8	3			6	1			
5	6		4	7				1
4		1	3					

PUZZLE 96

1			2	8				
6		7	9			4		
8	2	4					1	
5	1	2						
	4		7		3		2	
						9	4	5
	7					2	9	4
		5			9	7		1
				4	7			3

PUZZLE 97

8					4			2
		4	5	3				8
		1	8		6			4
		9					8	5
		5	3		8	4		
1	7					3		
4			2		5	6		
9				6	3	8		
6			9					3

PUZZLE 98

7				4				
9	4			7	8	6	2	
	2				6			7
1		9					5	
	6		9		3		7	
	7					9		6
2			6				4	
	1	7	4	8			6	3
				2				9

PUZZLE 99

8	6	5	7			4		
3	9					7	1	
	1							
				1	5	6	7	
	5		2		7		4	
	2	1	3	6				
							5	
	7	2					6	4
		3			6	1	8	7

PUZZLE 100

1	7		5	6				3
	6	3				5		
		4		7				
				5	1		6	8
3			7		8			5
4	8		6	9				
				3		9		
		1				8	5	
6				1	5		3	4

MEDIUM
SU DOKU

PUZZLE 101

		4		9				
5	8		7			9		
	9					3		
	5		2		4			8
6		3				4		5
7			6		5		3	
		5					8	
		2			6		9	4
				2		5		

PUZZLE 102

				5	8			1
	8	9		3				
	5	4	6					
	9	2						3
6				1				5
3						6	7	
					7	1	2	
				6		9	4	
9			8	4				

PUZZLE 103

			7				3	5
7				2	5	6		
				6		4		
4	8						5	3
		6				1		
5	3						6	9
		2		7				
		3	1	9				2
1	7				2			

PUZZLE 104

					6			5
	7				2	4	8	
4	1					3		9
		4			1			
3								2
			3			7		
9		5					4	7
	8	3	5				9	
7			8					

PUZZLE 105

		4	1		6			
9				5				
3	2		8			1		
8	3			6				
4		7				8		5
				4			2	6
		1			9		6	2
				1				8
			6		4	9		

PUZZLE 106

3		7	6			1		
6		4						5
	2					3		
			9		5			1
		3	7		6	2		
5			2		3			
		9					8	
7						9		3
		5			1	7		6

PUZZLE 107

				8		4		
	7	3		9			6	
	8							9
9			4				5	
			3	7	5			
	5				2			1
1							9	
	3			4		5	8	
		4		3				

PUZZLE 108

	1			5	7			
9			2				4	
	3	2			4			5
			7				2	
	4	3				6	5	
	7				5			
8			5			3	1	
	5				6			4
			3	7			8	

PUZZLE 109

				1	3			
	3		2			8	6	
	6		7			3		1
	9	5						
1	2						4	8
						5	1	
5		2			4		3	
	7	9			1		8	
			5	7				

PUZZLE 110

	3		5	9		4		7
		5				6		
4	8			7				
				6	4			3
	1						4	
7			3	5				
				3			6	4
		3				8		
8		9		4	5		2	

PUZZLE 111

		6					7	
					5	9	4	
		8	4				1	
		4		3				2
			1		9			
9				2		6		
	2				7	4		
	3	7	5					
	8					5		

PUZZLE 112

		8			9			
		5	4		3	1		
2				1			6	
5			8				7	
	9						4	
	6				7			3
	5			4				7
		1	6		5	2		
			9			3		

PUZZLE 113

					3	4		
7				6		1	3	
9			1					8
		7	9					5
				2				
4					6	7		
2					4			9
	8	9		5				4
		4	6					

PUZZLE 114

	3				9		1	2
			1			8		
9	4				8			7
			8					
2		5	3		4	9		8
					5			
7			9				3	6
		9			1			
3	1		4				2	

PUZZLE 115

	6	3						1
8								3
					6	5	2	8
	4	8	6	2				
				1	5	2	8	
7	1	5	3					
6								4
2						1	7	

PUZZLE 116

9							1	
		4		8		9		7
					5	2	3	
7				9	2			
1			8		4			3
			7	6				1
	1	8	5					
6		2		1		3		
	9							8

PUZZLE 117

5					1	7		3
			9	2				5
						1	2	
		2	8					
6	3						8	7
					5	4		
	9	1						
3				7	9			
2		5	1					8

PUZZLE 118

	6				9			3
		8					6	
			6			5	1	
3				1	7			
	1		8		6		4	
			5	3				8
	9	2			8			
	3					6		
6			1				7	

PUZZLE 119

	2	7					5	
		6		8				
4	9		2			1		
			5	2				9
	4						6	
7				6	4			
		3			7		2	6
				9		8		
	1					3	9	

PUZZLE 120

8		9		2	7		5	
			1					
				5			6	4
6	9		7		3	1		
		1	4		6		3	7
9	2			7				
					9			
	7		3	4		9		6

PUZZLE 121

	4							9
8		6			4	2		
				8			3	4
	1	7		2				
	3		9		8		2	
				1		7	6	
2	5			4				
		1	5			3		2
7							1	

PUZZLE 122

9					2	1	8	7
			9					
		8				2		
4					9	8		
5		3				6		4
		2	1					5
		6				7		
					5			
1	8	4	3					6

PUZZLE 123

				5		1		
	8						6	
		1		7	6	8	4	5
9						4		
	5		6		2		3	
		7						2
8	4	9	1	6		2		
	7						8	
		5		8				

PUZZLE 124

	9			6		3		
4		1			8	6		5
	3				9	4		
7			1	9				
				2	6			8
		5	8				7	
8		3	9			1		6
		2		5			4	

PUZZLE 125

	9	4		7		1		
8					1	9		4
	1			9				3
					9	3		2
7		1	6					
3				1			6	
1		7	5					9
		6		8		2	4	

PUZZLE 126

			8	7		3	6	
						9		4
		7	3				2	
				9	5	7		
	2						3	
		8	2	3				
	4				6	1		
1		2						
	7	9		4	3			

PUZZLE 127

		2	6					4
		7			8	9		
	3			4		2		1
	6		2					
1				6				7
					5		2	
6		3		8			7	
		1	7			4		
2					9	8		

PUZZLE 128

	4	6			2			
		3		7				5
8			4					
		5					7	3
	8			1			5	
9	7					2		
					4			2
5				6		9		
			8			1	6	

PUZZLE 129

		9				4		
	6				1		2	
4		5		8	2			
		8		5			3	
5			1		8			2
	2			7		5		
			3	2		1		7
	7		4				9	
		2				6		

PUZZLE 130

5	1			9	2			
7							4	
8				4	6			1
				8	1			
		3				8		
		5	9					
3			2	6				8
	2							5
			8	3			9	2

PUZZLE 131

	9	8	1			4		
6	5				9		1	
					4		3	
	4		7					
			4		2			
			6			8		
	3		9					
	7		3				5	6
		1			7	3	9	

PUZZLE 132

			9				5	
			4				8	
		9		1		4		7
	5			2	4	9		
6								2
		3	5	9			4	
1		6		4		2		
	2				6			
	4				5			

PUZZLE 133

		5				1	8	
3	1				6			
			8	3			7	
			3		5			8
1								2
5			2		9			
	4			6	8			
			5				4	1
	5	9				8		

PUZZLE 134

	2	9		8			1	7
					7	6		
			1					3
			8				6	
5	4	7				9	2	8
	8				2			
3					6			
		5	9					
7	6			1		8	9	

PUZZLE 135

8				4		5		
	9		2		5			
	1	5					4	
	6	9			4	2		
	3						6	
		4	6			1	9	
	7					9	2	
			7		1		5	
		3		8				7

PUZZLE 136

	4	5		1	9	7		
	7			8		9		
	2		7			5		
5		8						
			8		7			
						1		8
		2			4		9	
		4		6			5	
		3	9	2		8	4	

PUZZLE 137

				1	8	2	4	
		2		6				
	7	1						
1			6			3		9
5								4
3		7			4			2
						8	7	
				4		5		
	5	8	1	9				

PUZZLE 138

						6		
	7		2	3	6		1	
5			8					
	3		5			1	4	
1				6				3
	4	9				2		7
					3			1
	9		1	7	4		8	
		3						

PUZZLE 139

		8			1			6
1						9		
9				3		2		
	4		9		6			8
	7						4	
8			3		4		6	
		7		2				3
		1						4
2			5			8		

PUZZLE 140

4		8					2	
7	1		3				9	
			4					
	2		5		9	6		
		1				5		
		7	1		6		8	
					7			
	9				1		3	6
	7					9		8

PUZZLE 141

7					3	5		4
				4				
1			7		5	9		
			5				3	2
	6						4	
2	7			8				
		7	8		2			3
			7					
6		4	5					1

PUZZLE 142

	2	8					9	
		4		9	8			
5	3	9	4					
		2			4			
	6	7				2	4	
			9			6		
					5	7	2	1
			2	8		4		
	4					3	5	

PUZZLE 143

5								
	7		4		5	6		3
	8					5	7	
					6		4	8
	5		3		1		2	
6	2		8					
	1	6					3	
3		2	7		8		6	
								4

PUZZLE 144

	9				4	6		8
					2		7	
8		5	6					
1					3			5
	8	3				9	2	
4			2					7
					9	5		1
	7		3					
9		1	4				3	

PUZZLE 145

	8			9		3		
	5				6		9	7
9		4	7					
		2			1			6
		1				5		
7			4			9		
					9	4		2
4	2		6				5	
		9		5			3	

PUZZLE 146

			6	7			1	
2						7		8
1	7			8			9	
					8			2
	3		1		7		8	
8			9					
	6			9			7	3
3		9						4
	4			6	3			

PUZZLE 147

6							4	
		3	2					
						9	1	3
1	3		5		2			8
			6		8			
2			9		3		6	5
8	5	1						
					7	8		
	9							2

PUZZLE 148

		1		7			4	
	3	4						1
9						8		5
		6	5					
7			8	6	3			2
					7	5		
1		7						6
8						1	9	
	6			2		7		

PUZZLE 149

		4	3		8			
		1	6	2			4	3
6								
3		6	2			1		
	2						9	
		5			6	7		2
								6
4	5			6	9	3		
			8		1	9		

PUZZLE 150

2		8			3			
					8		6	
3				1		8	2	
8						9	4	1
				7				
6	1	4						2
	8	5		9				4
	3		2					
			4			5		8

PUZZLE 151

4					7			2
	7	5		2				
			6		5			
8		6	5					7
	5						4	
2					6	3		8
			1		3			
			9			4	6	
1			8					5

PUZZLE 152

	1		9			6		
			6			8		
	6	9	2		7			
9		6					5	
7	2						6	1
	8					2		7
			3		1	5	2	
		4			6			
		2			4		9	

PUZZLE 153

1			2		9			
		2		6		4	9	
			3	7				2
		4						6
	5						7	
3						1		
6				4	8			
	3	5		9		8		
			7		2			5

PUZZLE 154

4								9
	5			2		8		
	8			6	1			4
	1					4		5
			4		3			
6		4					3	
7			5	1			4	
		1		9			2	
5								1

PUZZLE 155

				3				
	8						1	
5	2		4		6			7
			8		5			9
6	9			7			5	1
7			9		1			
2			7		3		6	4
	6						3	
				9				

PUZZLE 156

		2	3		4		8	
				8	1			
1	8							4
	5		4					
	7	4	8		6	5	1	
					7		9	
5							6	9
			6	2				
	9		1		3	8		

PUZZLE 157

	6							4
	1		6	2		9		
		4			3			7
		9	3				7	
6				9				5
	4				6	3		
4			2			1		
		6		1	8		2	
5							8	

PUZZLE 158

4			2		3			9
	9				7	5		
8				9				
	4	8		5			7	
	5			3		8	4	
				6				2
		2	5				9	
1			7		8			3

PUZZLE 159

		8		3				
9		7			6			
4	1					3		
	9			7		4	3	6
7								5
6	8	3		1			7	
		6					9	8
			3			6		7
				5		1		

PUZZLE 160

8		2			5			
		6	4					
	1			7			3	
			3			6	2	
		7	8		4	5		
	2	1			9			
	5			6			7	
					2	4		
			5			2		6

PUZZLE 161

							3	
6	7				4			
9	2			1		7	6	
	5	2	3					
			7		6			
					8	1	4	
	6	9		8			1	2
			1				9	4
	1							

PUZZLE 162

7				1				6
	1	3			5		2	
5			8			9		
2			7			1		
				3				
		7			9			2
		8			6			5
	2		3			8	6	
1				5				9

PUZZLE 163

		4		5	7			
6		9						
2		7	1		9			
			5		8		6	3
4								8
8	9		3		4			
			2		6	8		5
						9		6
			9	1		2		

PUZZLE 164

9	3						2	6
8		2			6			
		4		1		8		
	6		7					
3				5				1
					4		7	
		6		9		2		
			6			7		8
1	9						6	3

PUZZLE 165

	5	4					3	
			1	5		6		
			6			5		8
	4	3	9			8		
8								9
		5			8	4	2	
4		2			5			
		1		9	6			
	9					3	6	

PUZZLE 166

	6					4		
		3	4				6	
				7			9	1
		6			7		2	5
5			9		1			4
9	3		5			1		
8	5			3				
	2				9	6		
		9					3	

PUZZLE 167

	2	7		8			6	
	4							9
		6	5					
			2	1		9		4
		1	3		6	2		
2		9		4	8			
					7	3		
7							8	
	1			3		6	2	

PUZZLE 168

		5	9				2	
9	6	3		4				
		1	8				6	
4	9	2			8			
			6			2	9	1
	7				6	3		
			1			9	5	7
	3				5	6		

PUZZLE 169

	2					7		
4		9		3				2
	7		5	6		4		
9							1	
			8		3			
	5							3
		2		7	6		4	
3				5		1		9
		6					2	

PUZZLE 170

	7		9			2		
9					5	8		1
				2		5	9	
	4			8				
5			7		1			9
			5				3	
	9	4		1				
6		7	8					4
		1			9		2	

PUZZLE 171

	5							
	4	3	9	7				
	9			5		1		4
						8	3	
		5	6		4	2		
	7	6						
3		7		1			6	
			6	5	7	2		
							1	

PUZZLE 172

	2	5		9	6			
		4				9	6	
			2			7		
		9			2			
	5						3	
			8			5		
		7			4			
	6	1				8		
			7	1		2	5	

PUZZLE 173

9				1	5	6		3
		3				1		
			3		2			
		5			3			7
	8			6			5	
1			5			3		
			2		1			
		8				7		
6		2	8	3				9

PUZZLE 174

			6	9				
1		9		3				
8		2				9		4
			9				8	
7	3		8		6		9	2
	2				7			
2		5				6		3
				6		8		7
				8	5			

PUZZLE 175

		7					4	
8	3	5			7			
6	4			3				
9	7	8	1					
					5	7	9	6
			2				7	1
		7				3	5	2
	5					8		

PUZZLE 176

7					1	8		
				8			1	2
		2		7				9
	7		2			4		
		9		6		5		
		8			7		3	
5				3		2		
6	3			9				
		1	5					3

PUZZLE 177

	2				3		6	
		1		6	2			9
9					7	8		
1	8							
		3				2		
							5	6
		9	3					8
7			9	4		6		
	5		6				4	

PUZZLE 178

			4				9	6
			6	2				
	4				8	2		
2			3				6	5
4								1
7	1				2			3
		8	2				1	
				7	6			
1	9				3			

PUZZLE 179

6					9		5	
	4							2
1						7	9	
		2	8	6				
4				5				1
				7	4	9		
	8	1						4
5							6	
	3		4					9

PUZZLE 180

5					8		7	
		6			3			2
	1						9	
			7		2			8
9		2				1		4
3			5		9			
	2						8	
7			2			3		
	4		3					9

PUZZLE 181

7	9							
8		4		2				5
			4		3			
	4			8		2		
5	7						8	3
		6		9			5	
			7		1			
3				4		9		2
							3	1

PUZZLE 182

		8			5			7
						5		
	2		7				1	
	9				4	3	2	
	1		9		8		4	
	8	7	2				5	
	4				2		7	
		6						
9			3			8		

PUZZLE 183

9	3							8
		5		3			9	
		1	4			5		
3		4	5		2			
	5						7	
			1		6	2		3
		9			4	7		
	7			9		3		
4							8	2

PUZZLE 184

		4	1				6	
7				3				
1	3				5			
	5		6					2
6		8				7		9
4					2		1	
			2				9	3
				5				7
	4				8	5		

PUZZLE 185

3		1			9		4	
		6		4			1	
				6	1			7
4		7				3		
	6						7	
		5				4		6
6			8	3				
	5			9		8		
	8		4			7		3

PUZZLE 186

					6	9		
7			5				4	1
	5				1			
							9	7
	2		7	1	3		6	
3	6							
			8				1	
2	3				4			8
		5	1					

PUZZLE 187

8	3		7	4				
	6		2					8
4				5				
9	7						5	
		3				7		
	8						6	3
				7				4
1					6		2	
				8	4		9	6

PUZZLE 188

			1					3
				7	3			4
	2	8			5	1	6	
8				2			7	
	4						1	
	1			4				8
	6	4	7			3	8	
7			5	3				
2					9			

PUZZLE 189

3	1					5		2
			2					
				6	9	1		3
	4			5		2		
8								6
		5		4			8	
7		2	3	8				
					1			
6		1					2	8

PUZZLE 190

6	8		2			7	1	
	3				7			8
		1	5					
	1	6		9				
2								3
				2		9	6	
					2	8		
5			8				4	
	6	4			3		9	7

PUZZLE 191

9	2				6	7	5	
					1			
7			3	5				
		2				9	8	
	3	9				4	7	
	1	8				2		
				1	3			9
			5					
	4	5	7				1	2

PUZZLE 192

	6							
	7		9			2		5
		5		3		4		6
		6			4			7
			8		6			
7			2			5		
6		8		2		3		
3		2			9		7	
							8	

PUZZLE 193

5					2	9		
1		2					6	4
				6	8			
4						7	1	
	2						4	
	6	1						2
			7	4				
9	5					6		3
		7	5					9

PUZZLE 194

						4		
5	9		4					
	3		9	6				1
4	5				6		8	
2								4
	1		7				6	9
9				4	2		7	
					3		1	6
		5						

PUZZLE 195

6	2	8			1			
					3			
		5		4	8			7
		6	7					9
	1			3			8	
5					6	4		
7			1	5		3		
			3					
			4			6	7	5

PUZZLE 196

2				1	6	3		
	5				2	9		
			5					
	8	5			4			
7		2				4		3
			3			1	8	
					5			
		7	8				6	
		9	7	6				1

PUZZLE 197

8				6				
	7			1	9	5		
			2			1	3	
4		7		5	3			
			8	7		9		1
	5	8			6			
		6	7	2			5	
				9				6

PUZZLE 198

5			4	3			8	
		1				5		
			9	5				6
	9	8					4	7
7	5					3	1	
6				4	3			
		3				1		
	1			9	6			2

PUZZLE 199

	4				1		9	
2							7	5
		9		7		1		6
4			6					
			4		7			
					9			8
3		4		6		9		
5	9							2
	2		9				8	

PUZZLE 200

8	6							
	5		1		9			
4			8	3			2	
6		5		8	1			2
2			9	7		4		3
	2			9	4			8
			5		2		9	
							3	4

DIFFICULT
SU DOKU

PUZZLE 201

							4	
		3	8	7			6	
6			5				7	3
8								1
		9		3		2		
2								9
4	1				9			7
	7			2	5	6		
	9							

PUZZLE 202

4			9		1		2
		8					
	7			2		3	
	1	6					
2		4			7		8
					9	4	
	2		1		5		
				6			
6		3		7			4

PUZZLE 203

	3							
		7		9	8		4	
			3		2		8	
4			2					
6		5				4		8
					9			2
	5		1		3			
	9		6	5		3		
							1	

PUZZLE 204

	8			9				
		6			4			9
			8		3	2		5
			4				1	
4		8				7		2
	7				2			
5		2	9		1			
3			7			9		
				4			3	

PUZZLE 205

	4	2	6					
	8		3	2				
			5		1	9		
	6	4				7		
	9						2	
		7				5	3	
		8	1		5			
				6	3		1	
					2	4	7	

PUZZLE 206

5	6	7	9					
8			3	5				4
	4	8		6			9	2
2	1			7		6	4	
4				1	3			6
					6	5	3	1

PUZZLE 207

					8		1	
1			6				7	3
		4	5			6		
	4		3	7				
	3						4	
				5	6		8	
		7			5	1		
9	2				4			5
	8		2					

PUZZLE 208

6			4	5			9	
	8		9			5	6	
					2			
1		3					5	
			3		4			
	6					3		9
			6					
	2	4			5		1	
	5			4	7			3

PUZZLE 209

		8		9		6		7
6							8	5
			4					
	2				9		6	
9			2		3			4
	4		7				2	
					7			
8	7							9
5		3		1		4		

PUZZLE 210

	2	6	7			4
	8	7	4				
			8		3		
	1		9				7
		4			5		
3				5		9	
		2		9			
				4	6	5	
7			2	6		1	

PUZZLE 211

	1			7				
9			3					
		5				7		4
		7			8			9
	3		9	4	2		1	
4			7			8		
6		3				9		
					1			5
				5			4	

PUZZLE 212

						3		1
4				6				
9			3		1		6	
		4		9	3			
	9						2	
			4	5		8		
	2		6		9			5
				7				6
8		7						

PUZZLE 213

		3	7					5
4			1				3	
				2		7		
	4							8
	1	7				5	9	
9							4	
		9		6				
	3				9			6
7					4	8		

PUZZLE 214

6					4			7
		2		7				
						1		
8	6	3	1			2		
				5				
		5			7	3	9	8
		8						
				3		5		
9			8					1

PUZZLE 215

	4			2				5
					1		8	
		1	3		7		4	
			4		5	8		
		8				7		
		2	1		3			
	8		7		9	3		
	1		2					
9				3			2	

PUZZLE 216

		2						
			3	6		9		
	7			8		5		1
	9		8			7	6	3
7	4	3			2		8	
8		7		9			1	
	1		4	7				
						3		

221

PUZZLE 217

	3	9		8			6	
8		1						
			9		6			
		8	4	1		7	3	
	5	3		9	2	6		
			2		4			
						3		8
	1			6		2	4	

PUZZLE 218

8		2	1					
	1					2		
	9				7			
	3		9	6			2	
	8	7				9	5	
	2			8	1		3	
			3				9	
		5					6	
					9	4		5

PUZZLE 219

	4		5				3	1
			4		7			6
		4		1	3	9		8
	9						7	
8		5	9	4		2		
9			1		8			
3	5				4		9	

PUZZLE 220

		7	9				6	8
	9		7	4				3
8								
	2			9		7		
		5				1		
		4		6			3	
								1
5				8	3		4	
7	6				9	8		

PUZZLE 221

			9		2		8	
				6	4			1
7		6	5					
		7						
5	2		3		1		6	4
						9		
					9	3		5
9			6	3				
	3		4		5			

PUZZLE 222

4								
1				8	3		7	5
7				1		2		
					5		8	
		7		2		3		
	1		6					
		4		5				8
2	5		1	3				9
								7

PUZZLE 223

			3			8		
	8			6				4
6					4			
	1			2		5	4	
	5			3			8	
	9	8		4			3	
			5					9
2				8			6	
		7			2			

PUZZLE 224

	3	4			5			
5		1				6		
			6				2	
		8			9			
	7		3		8		5	
			7			8		
	4				6			
		3				1		8
			2			3	9	

PUZZLE 225

7		2					4	
					8			6
		4		6			2	
		3						1
	2		7		3		5	
5						7		
	1			9		4		
3			8					
	4					6		8

PUZZLE 226

	1						7	
				9		8		3
		9	7					6
5			1					
	6	3				9	4	
					2			8
8					4	2		
9		4		2				
	7						6	

PUZZLE 227

		6						
8			3		7		6	4
	1		9			2	5	
		4	8					7
				2				
6					1	4		
	2	8			3		4	
4	3		1		9			6
						7		

PUZZLE 228

8			7					
	6			1		5		
	7				8		4	
		5			2	6	3	
3				7				4
	8	6	3			2		
	4		2				9	
		9		4			1	
					5			6

PUZZLE 229

		2		1				
						8		7
3	7			6		4		1
	8		6					
7			5		1			8
					3		6	
8		9		4			7	5
2		1						
				9		1		

PUZZLE 230

	8	7	4		2			9
				5		4		
4	5							
			9	8			4	6
8	6			3	1			
							2	3
		8		1				
5			7		3	6	9	

PUZZLE 231

4								
3	9	7						
			9	7		8		
6			1	4			2	
1			2		6			7
	2			5	8			3
		2		6	1			
						7	6	2
								5

PUZZLE 232

		3					8	9
				5				
6					2		5	3
		8	7	2				
4	7						1	2
				9	6	5		
9	2		6					5
				4				
7	8					4		

PUZZLE 233

9	6		7					
		2		1		5		
			6			1		
	4	9	5					
8	3						1	2
					4	8	5	
		8			6			
		3		7		6		
					3		4	7

PUZZLE 234

	1			7				
7		6	4			1		
	5		8					9
	4							7
5			2		9			8
1							3	
8					1		9	
		7			5	3		1
				2			5	

PUZZLE 235

		8		3		1		2
3					8		5	7
		6			3		8	9
	8						4	
9	3		5			2		
4	9		1					8
1		3		2		5		

PUZZLE 236

6					7		4	
					9	7		3
		8		1				
	1		3	6		2		
3								4
		5		7	1		9	
				9		4		
9		3	7					
	4		5					2

PUZZLE 237

8		1				4	5	
		5	3	9				6
9								
			4					8
	9	7				6	1	
4					1			
								1
5				7	4	9		
	2	4				5		7

PUZZLE 238

				5	8		4	
	1	8						
		4	7			1		
	6	2	8		7			
			3		5			
			4		6	8	1	
		1			4	7		
						2	3	
	4		5	6				

PUZZLE 239

		6			2			9
				6			7	
	7	8					2	6
					1			
1		2		3		4		8
			6					
3	1					5	9	
	2			4				
7			5			6		

PUZZLE 240

			6				5	
			2				6	9
	1					3		
		2			6			4
		9	7		4	5		
4			3			8		
		6					3	
5	4				7			
	7				8			

PUZZLE 241

			3			6	9	
				7	1			
						7		8
	6						3	1
		1	8		3	4		
5	2						6	
3		7						
		1	3					
	4	8			9			

PUZZLE 242

3	2	9	1		7			
5								7
		6	3					
6							9	
		4	9	8	3	6		
	5							8
					2	7		
8								1
			7		4	3	8	9

PUZZLE 243

		5	6	2			7	
	8	7			9		4	
								8
		3	9		6			1
4			8		7	3		
6								
	2		1			8	9	
	9			8	3	2		

PUZZLE 244

							1	4
	4		2	7	6			
		9				2		
	6	3						5
	9		1		3		6	
8						3	7	
		7				5		
			4	6	5		8	
5	8							

PUZZLE 245

4								1
8		6	1					
	1	9	4					6
	5			3				4
			8		6			
6				4			7	
2					4	8	6	
					2	7		3
9								5

PUZZLE 246

1			2				7	
						8		3
				1	4	6		
			5	7		2		
8	9						5	7
		2		8	1			
		6	4	2				
2		5						
	3				9			2

PUZZLE 247

	1		6					
			2			8		
8	2		9	5				7
	9	3					8	
	8					6	1	
2				8	9		7	4
		5			2			
					3		9	

PUZZLE 248

7		1	3					9
				4		3		
					9		5	4
		4			2	5		
	5						8	
		3	8			1		
3	6		9					
		8		3				
4					1	7		3

PUZZLE 249

6				3		9		5
			2					
2					5		3	
		6		7			1	
3			1		4			9
	7			6		3		
	2		9					4
					2			
5		7		4				3

PUZZLE 250

5			9					6
7				4				
	9				1		4	
			4					5
	3	5	7		8	6	2	
6					2			
	2		5				7	
			7					9
8					4			1

PUZZLE 251

	9		5		4			2
		3		7		4		5
		6					1	
						1		8
4								9
5		6						
	7				1			
1		2		8		7		
8			2		7		4	

PUZZLE 252

5		7			3			
8					4	1		
	4							
3	5		6				8	
7				3				6
	6				8		2	5
							6	
		1	7					8
			4			2		3

PUZZLE 253

					3		7	
	1	2					6	
7					2		5	
	2	8		6				5
				1				
9				5		2	8	
	5		9					8
	6					3	4	
	9		8					

PUZZLE 254

								1
2	5		1				7	6
	7					3		
				1	3		4	
		9		4		5		
	3		7	5				
		6					8	
1	2				6		5	9
3								

PUZZLE 255

				7	6		5	8
	3		1	8	5	7		
	4					5		
5		2				1		7
		6					9	
		3	8	9	7		4	
9	2		3	4				

PUZZLE 256

	8							
	9			3			4	
2		4	8					
	1		5					2
4		8	9		2	7		6
5					7		8	
					1	8		3
	6			2			1	
							9	

PUZZLE 257

	1				2		3	
			3			2	7	
	6			4		9		
		8						2
			4		5			
6						8		
		7		6			5	
	8	1			4			
	5		9				1	

PUZZLE 258

	2			8				
	3		7			6		
		9					5	8
					1	7		
8		7				3		1
		6	3					
6	4					2		
		3			2		8	
				1			4	

PUZZLE 259

	3	6				4		
						7	5	
				7			8	
2		6			4	5		
	3	5	9	7	8			
	4	8		3			6	
5			4					
4	9							
	2				3	1		

PUZZLE 260

2				8				3
	6		9					
3			7		4	5		
8	5					4		9
7		4					6	2
		5	8		1			4
					9		3	
4				2				5

PUZZLE 261

9				4				
				8	6	4		5
	6			7	9			
	1							4
	4	9				3	6	
7							2	
			7	9			5	
3		5	8	1				
				6				3

PUZZLE 262

					3		6	
			2	8		7		
8		4		1		2		
	2				9	8		
5				4				6
		7	8				9	
		1		7		5		4
		2		6	5			
	5		1					

PUZZLE 263

1						6		
	5	2			3		8	
	4	8		6			5	
	9		2		1			
			9		5		1	
	8			9		7	4	
	2		8			5	3	
		7						1

PUZZLE 264

5							1	
	9							
3	1		9		6			
	3		7	1		6		
		1	3		8	2		
		8		6	9		5	
			6		7		3	8
							4	
	4							5

PUZZLE 265

			3			4	5	
							6	7
			8		5			1
5		6			4		9	
		1		3		8		
	9		6			5		4
3			9		6			
8	1							
	7	9			8			

PUZZLE 266

1					3	9		
9	6		2		8			
							3	
	8			9	5			3
4			3	6			7	
	7							
			9		2		6	5
		4	5					2

PUZZLE 267

3					9	4		8
								6
			4		2		7	3
	5		8	4			2	
	9			3	5		4	
9	8		1		4			
7								
4		2	7					9

PUZZLE 268

6			4		2	7		
3		1						
4	2				8			
	1		2				6	
9								2
	3				6		5	
			5				9	4
						5		7
		5	6		9			1

PUZZLE 269

				4		9		
	3	1	8			5		
		7		5				6
3		8						
2	1						7	8
						4		5
5				7		8		
		9			8	7	2	
		3		9				

PUZZLE 270

8			9		7	3	1	
				4	2		9	
							4	7
							3	
5		7				2		8
	3							
2	7							
	5		7	3				
	8	3	2		6			9

PUZZLE 271

			6			3	1	
	4	7		2				
1								
	2				9			3
4	6			7			2	1
7			2				4	
								9
				1		8	3	
	7	5			3			

PUZZLE 272

3		2						
7	1							
	9		2	7		1	4	
		1	4	2		5		
		7		6	5	9		
	7	8		9	1		6	
							2	9
						8		7

PUZZLE 273

				2				
7		9		8		5		
		4			1		9	6
	4				6			1
8								5
3			2				7	
4	2		7			1		
		5		1		9		7
				3				

PUZZLE 274

				4			8	9
		1			7			
			3		5	1		
8		4						2
	6	3		1		8	9	
2						6		1
		8	7		9			
			6			5		
6	3			8				

PUZZLE 275

			3			8		
				4			7	
5	3		9	1				2
					4	7	3	1
1	4	5	2					
9				3	1		4	6
	8			5				
		4			9			

PUZZLE 276

3			4		1			
		5			7	6		3
	2							9
	6			1				
	8		7		6		5	
				2			3	
1							7	
5		2	3			4		
			1		9			2

PUZZLE 277

				3	7			
		2						6
	7		4			9	5	
2				4			8	
6	3						9	2
	9			8				5
	4	3			8		2	
7					5			
			9	1				

PUZZLE 278

		2		6	8	4	5	
					7	9		
6			3				8	
					6			1
		3				8		
5			9					
	8				1			2
		6	8					
	9	7	6	4		1		

PUZZLE 279

					3		4	
		1	9		4	6	2	
4			6					
8	9				1	3		
		2	5				1	8
					9			6
	8	3	4		5	7		
	5		3					

PUZZLE 280

		9		4				2
	7		8	6				
		1			5			9
	9				6			7
	1			8			4	
3			7				5	
2			6			5		
				5	8		2	
1				3		8		

PUZZLE 281

6			1		2		7	
		7		6				
			5	7		9	6	
1	6	8						
						4	8	5
	3	1		5	4			
				9		8		
	4		6		1			2

PUZZLE 282

	1				8			5
		2						
4				5			3	
			6			7	2	
3			2	9	4			1
	4	1			5			
	9			7				2
						5		
1			3				9	

PUZZLE 283

		3	6			4		5
		2	3				7	
				7			6	
		7		8	1			2
1			4	6		3		
	7			4				
	1				8	2		
5		4			6	8		

PUZZLE 284

			8			3		
	6			2				9
8	2		9				4	
7						9		
5		6		4		2		3
		3						5
	5				1		9	2
9				6			3	
		1			2			

PUZZLE 285

	8					6		
					1			9
	6			5	9	7		
		5			6			8
	9		1		5		3	
1			3			4		
		4	9	3			7	
2			6					
		7				2		

PUZZLE 286

						2		
3	8		4			7	9	
		1					8	6
		6		9				2
			2		5			
9			8			5		
2	1					6		
	4	7			3		1	5
		3						

PUZZLE 287

	5						7	
				7		6		
9		4	6			8		
1	4			2	5			
			4	9			3	8
		2			1	4		5
		6		3				
	9						8	

PUZZLE 288

	1				5			
			7					1
9		4	1			6		
	4				8		2	6
		3				5		
2	9		6				8	
		2			4	8		7
4					3			
			8				6	

PUZZLE 289

9						7		5
8		5	6		7			9
							3	
					3		1	
5			1	2	9			3
	1		8					
	4							
3			4		2	8		6
6		9						7

PUZZLE 290

						8		
3			6	1			4	
	2		3	9			7	
	7	8	5					
	9						5	
					1	4	6	
	6			5	7		9	
	1			3	6			5
		2						

PUZZLE 291

		3			8		4	5
			2			7		
				4		1	3	
	3							4
6		8				5		2
4							8	
	7	9		1				
		6			2			
2	1		6			4		

PUZZLE 292

		1	4			7		3
			6	7			8	
7				9				
6		3						
	7						2	
						6		4
				3				2
	8			5	2			
9		6			4	1		

PUZZLE 293

					3			
	6			1		9		
	9	5	7	8			4	
4						8	5	
			5	3	1			
	5	1						2
	1			4	5	7	6	
		4		7			1	
			1					

PUZZLE 294

						6	8	1
		4	1	6			5	
5			8					
7			4	8			2	
	2			7	9			4
					5			2
	6			2	8	9		
2	9	7						

PUZZLE 295

				1				
		7			2			
			6				4	7
8	2		7	5			1	6
		3				8		
5	7			8	1		3	9
6	9				5			
			9			1		
				3				

PUZZLE 296

	9			1	2		7	
		1		7	3		6	
								5
9						3		
7	5			4			8	1
		6						7
1								
	4		7	2		6		
	6		9	3			4	

PUZZLE 297

			8		2	9		
3		6					7	
				6		5		2
2				8				
	9	5				6	1	
				1				7
6		8		9				
	5					7		9
		4	7		1			

PUZZLE 298

	8		5				7	
7	4							
6					9	5		
		6		5				
	7	1				2	6	
				3		9		
		7	6					4
							1	8
	6				3		2	

PUZZLE 299

	7		5		1			
		9	2					
6			4			5		
	6			1				3
	2	1				6	9	
8				4			5	
		8			3			7
					7	8		
			8		4		1	

PUZZLE 300

	5			2			1	
				9				
	6		1			5	7	4
6							9	
		4		7		3		
	9							6
9	8	7			3		2	
				1				
	4			8			5	

SOLUTIONS

1

3	2	6	7	1	8	4	9	5
5	8	4	2	6	9	7	3	1
7	9	1	3	4	5	2	6	8
9	5	8	4	3	7	6	1	2
6	1	3	9	5	2	8	4	7
2	4	7	1	8	6	3	5	9
8	3	2	5	9	4	1	7	6
1	7	9	6	2	3	5	8	4
4	6	5	8	7	1	9	2	3

2

2	6	8	3	4	7	5	1	9
3	7	5	9	2	1	4	6	8
1	4	9	8	5	6	7	3	2
6	9	4	2	8	3	1	5	7
7	8	1	4	6	5	9	2	3
5	3	2	1	7	9	8	4	6
4	2	7	6	1	8	3	9	5
8	1	3	5	9	2	6	7	4
9	5	6	7	3	4	2	8	1

3

3	7	6	5	9	4	8	2	1
1	2	4	8	3	6	5	9	7
8	9	5	1	7	2	6	4	3
5	8	1	6	2	7	4	3	9
6	4	9	3	8	1	2	7	5
7	3	2	9	4	5	1	8	6
2	1	8	7	5	3	9	6	4
9	6	7	4	1	8	3	5	2
4	5	3	2	6	9	7	1	8

4

5	7	6	3	9	1	2	8	4
2	3	9	8	4	6	5	1	7
8	1	4	7	5	2	6	3	9
6	2	7	4	3	8	9	5	1
1	9	5	6	2	7	8	4	3
4	8	3	9	1	5	7	6	2
7	4	2	5	6	3	1	9	8
9	6	1	2	8	4	3	7	5
3	5	8	1	7	9	4	2	6

5

6	8	4	3	7	9	2	5	1
2	3	7	1	5	8	9	4	6
1	9	5	6	4	2	3	7	8
8	7	9	5	2	6	1	3	4
5	1	2	4	8	3	6	9	7
4	6	3	9	1	7	8	2	5
7	4	6	2	3	1	5	8	9
9	2	8	7	6	5	4	1	3
3	5	1	8	9	4	7	6	2

6

1	2	6	9	3	4	7	8	5
3	7	8	1	2	5	6	4	9
9	5	4	6	8	7	3	2	1
7	1	9	3	5	2	4	6	8
4	6	5	8	7	9	1	3	2
2	8	3	4	6	1	9	5	7
5	3	2	7	1	6	8	9	4
8	9	7	5	4	3	2	1	6
6	4	1	2	9	8	5	7	3

7

8	2	9	1	7	4	3	6	5
3	1	4	5	6	8	2	9	7
7	6	5	9	2	3	1	8	4
4	7	1	2	8	5	6	3	9
2	3	6	4	9	1	7	5	8
5	9	8	6	3	7	4	2	1
6	8	7	3	4	9	5	1	2
1	4	3	8	5	2	9	7	6
9	5	2	7	1	6	8	4	3

8

4	1	9	7	2	5	6	8	3
6	2	5	9	8	3	4	1	7
7	8	3	6	4	1	2	9	5
2	3	1	8	9	4	5	7	6
5	9	6	3	1	7	8	2	4
8	7	4	2	5	6	9	3	1
3	4	8	1	6	9	7	5	2
9	5	7	4	3	2	1	6	8
1	6	2	5	7	8	3	4	9

9

7	6	4	9	1	5	8	2	3
3	5	2	7	8	6	1	4	9
9	8	1	3	2	4	5	6	7
5	2	9	8	6	3	4	7	1
6	3	8	1	4	7	9	5	2
4	1	7	5	9	2	6	3	8
2	9	3	6	5	1	7	8	4
1	4	5	2	7	8	3	9	6
8	7	6	4	3	9	2	1	5

10

1	6	8	9	5	7	4	2	3
4	9	5	3	1	2	8	6	7
3	7	2	8	4	6	5	1	9
7	4	6	5	9	3	1	8	2
5	2	3	7	8	1	9	4	6
9	8	1	6	2	4	3	7	5
8	1	7	2	3	5	6	9	4
2	3	9	4	6	8	7	5	1
6	5	4	1	7	9	2	3	8

11

6	7	9	2	3	1	5	4	8
3	1	2	8	5	4	9	6	7
5	8	4	7	6	9	3	1	2
7	9	5	4	8	6	1	2	3
2	4	3	1	7	5	8	9	6
8	6	1	9	2	3	7	5	4
9	2	7	6	1	8	4	3	5
1	5	8	3	4	2	6	7	9
4	3	6	5	9	7	2	8	1

12

1	5	4	8	7	3	6	2	9
2	9	8	6	5	4	7	3	1
6	7	3	2	1	9	4	8	5
8	2	6	5	9	7	1	4	3
5	4	1	3	8	6	9	7	2
7	3	9	1	4	2	8	5	6
3	1	2	7	6	8	5	9	4
4	8	5	9	2	1	3	6	7
9	6	7	4	3	5	2	1	8

13

8	2	6	7	1	9	5	3	4
1	5	7	2	3	4	8	6	9
3	4	9	6	5	8	1	2	7
6	7	5	8	9	1	3	4	2
4	8	2	5	7	3	9	1	6
9	3	1	4	2	6	7	8	5
7	9	3	1	6	2	4	5	8
5	6	8	3	4	7	2	9	1
2	1	4	9	8	5	6	7	3

14

8	5	1	6	7	9	4	2	3
4	3	9	8	1	2	6	7	5
6	7	2	4	3	5	1	8	9
2	6	4	5	9	8	3	1	7
3	8	7	1	2	4	9	5	6
1	9	5	3	6	7	8	4	2
9	2	3	7	4	1	5	6	8
5	4	6	2	8	3	7	9	1
7	1	8	9	5	6	2	3	4

15

7	9	4	3	2	1	5	6	8
8	6	1	7	5	4	9	2	3
5	3	2	6	8	9	7	1	4
9	5	8	4	6	2	3	7	1
6	4	7	5	1	3	8	9	2
2	1	3	8	9	7	4	5	6
1	8	6	9	3	5	2	4	7
3	7	9	2	4	6	1	8	5
4	2	5	1	7	8	6	3	9

16

1	7	4	5	2	3	9	8	6
6	3	5	7	9	8	2	4	1
8	9	2	1	6	4	5	3	7
9	4	7	6	8	5	1	2	3
2	1	6	3	7	9	8	5	4
5	8	3	2	4	1	6	7	9
7	5	9	8	3	6	4	1	2
3	6	8	4	1	2	7	9	5
4	2	1	9	5	7	3	6	8

17

7	5	1	2	3	4	9	6	8
8	2	3	5	9	6	1	7	4
4	9	6	8	7	1	5	2	3
1	3	2	7	8	9	6	4	5
6	8	9	1	4	5	2	3	7
5	4	7	3	6	2	8	9	1
3	6	4	9	1	8	7	5	2
9	1	5	4	2	7	3	8	6
2	7	8	6	5	3	4	1	9

18

8	9	1	5	6	7	2	3	4
3	7	2	4	8	9	6	1	5
4	6	5	1	2	3	8	7	9
9	1	3	2	4	6	5	8	7
5	8	6	7	9	1	3	4	2
2	4	7	3	5	8	1	9	6
1	2	9	8	7	5	4	6	3
7	3	4	6	1	2	9	5	8
6	5	8	9	3	4	7	2	1

19

2	6	7	3	4	9	8	5	1
1	8	4	5	2	7	6	9	3
5	3	9	6	8	1	2	7	4
4	7	8	2	6	3	5	1	9
3	5	1	7	9	8	4	2	6
6	9	2	1	5	4	7	3	8
9	2	5	4	3	6	1	8	7
7	4	3	8	1	5	9	6	2
8	1	6	9	7	2	3	4	5

20

6	4	1	7	8	5	9	3	2
7	9	5	2	3	6	8	4	1
2	3	8	1	4	9	5	7	6
1	5	3	4	2	7	6	8	9
4	2	6	8	9	1	3	5	7
9	8	7	6	5	3	1	2	4
8	7	9	5	6	4	2	1	3
3	1	2	9	7	8	4	6	5
5	6	4	3	1	2	7	9	8

21

3	8	5	9	1	4	6	7	2
2	4	7	6	3	8	1	5	9
9	1	6	7	2	5	3	8	4
1	7	9	4	8	6	2	3	5
6	3	8	5	9	2	4	1	7
5	2	4	3	7	1	8	9	6
8	9	1	2	4	7	5	6	3
7	6	2	1	5	3	9	4	8
4	5	3	8	6	9	7	2	1

22

9	6	2	5	8	3	4	1	7
1	5	7	9	4	2	3	8	6
4	8	3	7	1	6	9	5	2
5	7	1	3	2	4	6	9	8
8	3	9	1	6	7	2	4	5
6	2	4	8	9	5	7	3	1
3	9	5	6	7	1	8	2	4
7	4	8	2	5	9	1	6	3
2	1	6	4	3	8	5	7	9

23

7	1	6	9	2	4	5	3	8
8	3	5	7	6	1	2	4	9
2	9	4	3	8	5	7	6	1
6	2	7	1	9	3	8	5	4
3	4	9	5	7	8	1	2	6
5	8	1	6	4	2	9	7	3
9	6	3	2	1	7	4	8	5
1	7	8	4	5	6	3	9	2
4	5	2	8	3	9	6	1	7

24

8	2	6	9	5	1	3	7	4
1	9	3	8	4	7	6	5	2
7	4	5	6	2	3	8	1	9
5	6	8	2	7	9	1	4	3
2	3	1	4	6	5	7	9	8
4	7	9	1	3	8	5	2	6
9	5	7	3	8	4	2	6	1
6	8	4	7	1	2	9	3	5
3	1	2	5	9	6	4	8	7

25

9	5	3	2	1	8	7	4	6
7	1	4	6	5	3	9	2	8
2	8	6	4	9	7	1	5	3
6	3	2	7	8	9	5	1	4
5	7	8	1	6	4	3	9	2
4	9	1	5	3	2	8	6	7
8	2	9	3	4	5	6	7	1
3	6	7	9	2	1	4	8	5
1	4	5	8	7	6	2	3	9

26

7	9	2	4	5	1	8	6	3
5	4	8	7	6	3	2	1	9
1	3	6	2	8	9	5	4	7
8	5	7	9	1	4	6	3	2
3	1	4	8	2	6	9	7	5
2	6	9	3	7	5	4	8	1
9	2	3	6	4	7	1	5	8
6	7	1	5	9	8	3	2	4
4	8	5	1	3	2	7	9	6

27

6	5	1	7	4	9	2	8	3
9	7	8	3	1	2	4	6	5
2	3	4	8	6	5	9	7	1
3	8	6	1	5	4	7	2	9
5	9	2	6	7	3	1	4	8
4	1	7	2	9	8	3	5	6
1	2	9	5	8	7	6	3	4
8	6	3	4	2	1	5	9	7
7	4	5	9	3	6	8	1	2

28

3	1	6	2	5	4	9	8	7
7	9	4	6	1	8	3	2	5
2	8	5	7	3	9	6	1	4
1	4	2	3	6	5	7	9	8
6	7	3	9	8	2	5	4	1
8	5	9	4	7	1	2	3	6
9	2	8	5	4	7	1	6	3
5	3	1	8	9	6	4	7	2
4	6	7	1	2	3	8	5	9

29

7	6	3	4	1	9	2	8	5
1	9	5	2	8	6	4	3	7
8	2	4	7	3	5	6	1	9
4	1	6	8	5	2	7	9	3
5	3	7	6	9	4	8	2	1
9	8	2	3	7	1	5	4	6
2	4	9	5	6	3	1	7	8
6	7	1	9	2	8	3	5	4
3	5	8	1	4	7	9	6	2

30

6	4	8	1	9	3	7	2	5
3	9	2	5	7	8	4	6	1
5	1	7	2	4	6	3	9	8
9	5	6	8	1	7	2	4	3
2	8	4	6	3	9	5	1	7
7	3	1	4	5	2	6	8	9
1	7	3	9	2	4	8	5	6
4	6	5	3	8	1	9	7	2
8	2	9	7	6	5	1	3	4

31

5	8	3	4	7	9	6	1	2
4	2	7	1	3	6	9	5	8
1	6	9	2	5	8	3	7	4
7	5	8	6	1	4	2	3	9
9	1	6	5	2	3	4	8	7
3	4	2	8	9	7	1	6	5
2	3	5	9	8	1	7	4	6
6	9	1	7	4	5	8	2	3
8	7	4	3	6	2	5	9	1

32

4	7	8	5	3	1	2	6	9
9	1	5	2	7	6	4	3	8
2	6	3	9	4	8	5	7	1
6	9	1	8	5	3	7	4	2
5	3	4	1	2	7	8	9	6
7	8	2	6	9	4	3	1	5
3	2	6	4	1	5	9	8	7
8	5	7	3	6	9	1	2	4
1	4	9	7	8	2	6	5	3

33

6	7	5	1	9	8	4	2	3
8	4	2	3	5	6	7	9	1
1	3	9	4	2	7	5	8	6
3	9	8	7	4	5	1	6	2
5	6	4	2	3	1	8	7	9
2	1	7	6	8	9	3	4	5
9	2	3	5	7	4	6	1	8
4	8	6	9	1	3	2	5	7
7	5	1	8	6	2	9	3	4

34

3	4	9	5	8	7	2	1	6
8	7	1	9	6	2	5	3	4
6	5	2	3	1	4	7	9	8
7	3	5	6	2	9	4	8	1
2	6	8	1	4	5	3	7	9
1	9	4	7	3	8	6	2	5
4	2	6	8	7	1	9	5	3
9	8	3	2	5	6	1	4	7
5	1	7	4	9	3	8	6	2

35

3	5	6	8	1	7	9	2	4
9	4	7	6	5	2	3	8	1
8	2	1	9	3	4	6	7	5
6	3	5	4	9	8	2	1	7
7	9	4	1	2	6	5	3	8
1	8	2	5	7	3	4	6	9
2	6	9	7	4	1	8	5	3
5	1	3	2	8	9	7	4	6
4	7	8	3	6	5	1	9	2

36

6	7	5	8	1	4	3	2	9
3	8	2	6	9	7	4	5	1
4	9	1	3	2	5	8	6	7
8	1	4	9	6	3	2	7	5
9	5	7	1	4	2	6	8	3
2	6	3	7	5	8	1	9	4
1	3	6	2	7	9	5	4	8
5	2	9	4	8	1	7	3	6
7	4	8	5	3	6	9	1	2

37

1	4	9	3	5	2	6	7	8
8	5	3	7	9	6	2	4	1
2	7	6	1	4	8	9	5	3
6	2	5	9	3	1	4	8	7
7	1	4	2	8	5	3	9	6
9	3	8	6	7	4	1	2	5
5	9	7	4	6	3	8	1	2
4	6	2	8	1	7	5	3	9
3	8	1	5	2	9	7	6	4

38

5	6	2	9	7	3	8	1	4
8	7	9	4	2	1	3	6	5
4	1	3	8	6	5	9	7	2
2	8	4	1	3	7	6	5	9
7	3	6	2	5	9	1	4	8
1	9	5	6	4	8	7	2	3
9	4	7	5	8	6	2	3	1
6	2	1	3	9	4	5	8	7
3	5	8	7	1	2	4	9	6

39

2	5	9	8	1	4	6	3	7
7	8	1	9	3	6	2	5	4
4	6	3	2	7	5	1	9	8
6	3	4	5	2	7	8	1	9
8	9	7	6	4	1	3	2	5
5	1	2	3	8	9	4	7	6
3	2	5	4	9	8	7	6	1
9	7	8	1	6	2	5	4	3
1	4	6	7	5	3	9	8	2

40

9	4	2	5	7	1	6	8	3
3	8	7	4	2	6	5	1	9
1	5	6	3	9	8	7	4	2
6	7	4	2	3	9	8	5	1
8	2	3	1	4	5	9	7	6
5	1	9	6	8	7	2	3	4
7	6	1	9	5	3	4	2	8
2	9	8	7	1	4	3	6	5
4	3	5	8	6	2	1	9	7

41

7	6	1	8	4	5	9	3	2
4	9	8	1	2	3	7	6	5
3	2	5	9	6	7	1	8	4
1	7	3	2	5	9	6	4	8
5	4	6	7	3	8	2	1	9
2	8	9	4	1	6	3	5	7
9	3	7	5	8	1	4	2	6
8	1	2	6	7	4	5	9	3
6	5	4	3	9	2	8	7	1

42

7	3	6	9	8	2	1	5	4
9	1	4	3	7	5	8	2	6
2	8	5	6	4	1	7	9	3
8	7	9	2	1	4	6	3	5
5	4	2	8	6	3	9	7	1
1	6	3	7	5	9	2	4	8
6	2	7	4	3	8	5	1	9
4	9	1	5	2	6	3	8	7
3	5	8	1	9	7	4	6	2

43

3	2	6	5	4	7	8	9	1
9	5	1	2	8	3	6	4	7
8	4	7	6	9	1	2	3	5
2	1	8	3	5	4	7	6	9
4	9	3	1	7	6	5	8	2
7	6	5	9	2	8	3	1	4
6	8	4	7	1	5	9	2	3
5	3	9	4	6	2	1	7	8
1	7	2	8	3	9	4	5	6

44

8	5	6	2	1	4	9	7	3
1	9	7	5	3	6	4	8	2
4	2	3	8	7	9	1	5	6
6	8	2	7	9	3	5	1	4
3	4	5	6	8	1	2	9	7
7	1	9	4	2	5	6	3	8
2	3	4	9	5	7	8	6	1
5	7	8	1	6	2	3	4	9
9	6	1	3	4	8	7	2	5

45

6	3	7	9	4	5	8	1	2
8	4	1	2	3	7	9	6	5
9	2	5	1	6	8	3	7	4
2	8	9	3	1	4	7	5	6
5	1	6	7	8	9	4	2	3
3	7	4	5	2	6	1	9	8
4	6	2	8	7	1	5	3	9
1	5	8	6	9	3	2	4	7
7	9	3	4	5	2	6	8	1

46

6	4	1	9	7	8	3	5	2
2	9	5	6	4	3	1	8	7
8	3	7	1	5	2	6	9	4
1	7	3	5	8	4	9	2	6
9	6	8	2	1	7	5	4	3
5	2	4	3	9	6	8	7	1
7	1	2	8	6	5	4	3	9
4	8	9	7	3	1	2	6	5
3	5	6	4	2	9	7	1	8

47

4	9	8	7	5	2	6	1	3
1	3	6	8	9	4	2	5	7
7	2	5	6	1	3	9	4	8
3	4	9	2	6	5	8	7	1
8	5	2	9	7	1	4	3	6
6	1	7	3	4	8	5	9	2
5	8	1	4	3	6	7	2	9
2	7	3	5	8	9	1	6	4
9	6	4	1	2	7	3	8	5

48

6	2	9	1	5	7	3	8	4
3	8	5	4	6	9	1	7	2
7	1	4	2	3	8	9	5	6
5	3	1	7	9	2	4	6	8
9	7	8	6	4	3	2	1	5
2	4	6	8	1	5	7	3	9
1	9	7	5	2	6	8	4	3
8	5	2	3	7	4	6	9	1
4	6	3	9	8	1	5	2	7

49

3	4	5	7	9	6	1	2	8
6	9	8	1	3	2	7	5	4
7	2	1	4	8	5	6	9	3
8	1	6	2	4	3	5	7	9
9	5	3	8	1	7	4	6	2
2	7	4	5	6	9	8	3	1
5	8	2	3	7	4	9	1	6
1	6	7	9	2	8	3	4	5
4	3	9	6	5	1	2	8	7

50

4	7	3	8	9	6	1	2	5
8	5	6	3	2	1	7	4	9
1	9	2	5	7	4	6	3	8
7	8	9	1	3	5	2	6	4
3	2	4	9	6	8	5	7	1
6	1	5	7	4	2	8	9	3
5	6	7	4	8	3	9	1	2
2	3	1	6	5	9	4	8	7
9	4	8	2	1	7	3	5	6

51

8	2	7	4	3	5	6	1	9
5	1	6	7	9	2	3	8	4
4	3	9	6	8	1	2	7	5
7	4	5	9	1	6	8	3	2
9	6	3	2	5	8	1	4	7
2	8	1	3	7	4	9	5	6
3	5	4	8	2	9	7	6	1
6	9	8	1	4	7	5	2	3
1	7	2	5	6	3	4	9	8

52

5	1	3	9	8	6	4	2	7
7	8	4	5	2	1	6	9	3
6	9	2	3	7	4	5	1	8
4	2	8	6	1	5	7	3	9
1	5	9	7	3	2	8	4	6
3	6	7	4	9	8	1	5	2
9	7	6	1	4	3	2	8	5
2	3	1	8	5	7	9	6	4
8	4	5	2	6	9	3	7	1

53

5	7	1	8	2	6	3	4	9
2	6	8	3	4	9	1	7	5
4	9	3	1	5	7	6	2	8
9	3	2	4	1	8	7	5	6
6	5	4	2	7	3	8	9	1
8	1	7	9	6	5	4	3	2
7	8	5	6	9	4	2	1	3
3	2	9	7	8	1	5	6	4
1	4	6	5	3	2	9	8	7

54

4	6	7	8	2	3	5	9	1
2	3	8	5	9	1	4	7	6
5	9	1	6	7	4	3	8	2
8	1	9	4	6	2	7	5	3
3	7	5	9	1	8	6	2	4
6	4	2	3	5	7	9	1	8
7	8	6	2	3	9	1	4	5
1	5	4	7	8	6	2	3	9
9	2	3	1	4	5	8	6	7

55

6	1	4	8	5	3	7	9	2
5	3	2	9	7	4	8	6	1
7	9	8	1	6	2	5	3	4
3	8	5	4	9	1	2	7	6
1	4	6	7	2	8	3	5	9
9	2	7	5	3	6	1	4	8
4	5	9	2	1	7	6	8	3
2	7	3	6	8	9	4	1	5
8	6	1	3	4	5	9	2	7

56

2	9	3	6	7	8	4	1	5
8	1	4	5	9	3	7	6	2
5	7	6	2	1	4	8	3	9
7	6	1	4	5	9	3	2	8
3	5	2	8	6	7	9	4	1
4	8	9	1	3	2	6	5	7
6	3	5	7	8	1	2	9	4
9	2	8	3	4	5	1	7	6
1	4	7	9	2	6	5	8	3

57

1	2	5	6	7	9	3	8	4
7	8	3	5	2	4	6	1	9
4	6	9	3	8	1	2	7	5
5	1	4	9	6	2	7	3	8
2	3	6	8	4	7	5	9	1
8	9	7	1	3	5	4	2	6
9	7	1	4	5	3	8	6	2
6	5	2	7	1	8	9	4	3
3	4	8	2	9	6	1	5	7

58

7	4	3	9	5	6	1	2	8
5	2	9	4	8	1	6	3	7
6	1	8	7	2	3	5	4	9
9	8	1	3	4	5	2	7	6
4	7	2	6	1	9	3	8	5
3	6	5	2	7	8	4	9	1
2	9	4	5	6	7	8	1	3
1	3	6	8	9	4	7	5	2
8	5	7	1	3	2	9	6	4

59

7	3	8	6	4	9	5	1	2
4	6	9	1	2	5	7	8	3
5	2	1	8	3	7	6	9	4
6	8	4	5	7	2	9	3	1
2	9	3	4	1	6	8	7	5
1	7	5	3	9	8	4	2	6
9	1	2	7	6	4	3	5	8
3	5	6	9	8	1	2	4	7
8	4	7	2	5	3	1	6	9

60

2	7	5	6	9	8	1	4	3
9	4	1	3	2	5	7	8	6
3	6	8	1	4	7	9	5	2
4	8	3	9	1	6	2	7	5
6	5	9	7	3	2	4	1	8
7	1	2	8	5	4	6	3	9
1	9	7	5	6	3	8	2	4
8	3	4	2	7	9	5	6	1
5	2	6	4	8	1	3	9	7

61

9	2	6	4	1	5	8	3	7
3	7	1	9	8	2	4	5	6
4	5	8	7	3	6	2	9	1
2	6	7	3	9	1	5	4	8
5	8	9	2	4	7	6	1	3
1	3	4	5	6	8	7	2	9
7	1	5	6	2	3	9	8	4
8	4	2	1	7	9	3	6	5
6	9	3	8	5	4	1	7	2

62

2	6	8	4	9	5	3	1	7
5	1	9	7	8	3	2	6	4
3	4	7	1	6	2	5	8	9
8	5	4	3	7	1	9	2	6
6	2	1	5	4	9	8	7	3
9	7	3	6	2	8	1	4	5
7	8	5	9	1	6	4	3	2
1	3	6	2	5	4	7	9	8
4	9	2	8	3	7	6	5	1

63

7	9	4	6	1	8	3	2	5
8	1	5	4	2	3	7	9	6
6	3	2	5	7	9	1	4	8
9	6	8	7	3	4	5	1	2
2	5	3	9	8	1	4	6	7
1	4	7	2	5	6	8	3	9
3	8	6	1	9	5	2	7	4
5	7	9	3	4	2	6	8	1
4	2	1	8	6	7	9	5	3

64

8	4	5	1	9	6	7	2	3
2	7	6	5	8	3	1	4	9
3	9	1	7	2	4	8	5	6
5	8	3	2	7	9	6	1	4
9	6	2	8	4	1	3	7	5
7	1	4	6	3	5	9	8	2
6	2	9	4	1	8	5	3	7
4	3	8	9	5	7	2	6	1
1	5	7	3	6	2	4	9	8

65

9	1	2	4	8	6	5	7	3
4	7	5	3	9	1	2	8	6
3	8	6	2	7	5	9	4	1
6	5	3	7	1	4	8	2	9
1	4	9	8	3	2	7	6	5
8	2	7	5	6	9	3	1	4
2	3	1	9	4	8	6	5	7
7	6	8	1	5	3	4	9	2
5	9	4	6	2	7	1	3	8

66

3	6	7	8	4	5	2	1	9
4	9	5	1	6	2	3	7	8
1	2	8	3	7	9	4	5	6
8	5	1	7	9	3	6	2	4
6	7	3	2	1	4	8	9	5
9	4	2	6	5	8	1	3	7
2	8	4	5	3	7	9	6	1
7	3	6	9	8	1	5	4	2
5	1	9	4	2	6	7	8	3

67

2	5	3	4	9	1	7	8	6
7	6	1	3	2	8	9	4	5
8	4	9	5	7	6	1	2	3
1	7	4	2	8	3	5	6	9
9	3	8	6	5	7	4	1	2
6	2	5	1	4	9	8	3	7
5	8	6	7	1	2	3	9	4
4	1	2	9	3	5	6	7	8
3	9	7	8	6	4	2	5	1

68

1	7	6	8	2	3	4	9	5
5	9	2	4	1	6	3	7	8
8	3	4	9	5	7	6	1	2
4	6	1	7	8	5	9	2	3
7	2	9	3	6	1	5	8	4
3	8	5	2	4	9	1	6	7
9	4	3	6	7	2	8	5	1
2	5	8	1	9	4	7	3	6
6	1	7	5	3	8	2	4	9

69

7	1	4	9	2	3	6	8	5
2	9	5	7	8	6	3	1	4
3	6	8	4	5	1	2	9	7
5	4	6	3	1	7	9	2	8
1	2	7	6	9	8	4	5	3
8	3	9	2	4	5	7	6	1
6	7	1	8	3	2	5	4	9
4	5	2	1	7	9	8	3	6
9	8	3	5	6	4	1	7	2

70

8	6	5	1	4	9	3	7	2
3	7	1	8	5	2	6	9	4
9	4	2	6	3	7	5	1	8
1	9	8	7	2	5	4	3	6
6	5	7	4	8	3	9	2	1
4	2	3	9	1	6	8	5	7
7	8	6	3	9	1	2	4	5
5	1	9	2	6	4	7	8	3
2	3	4	5	7	8	1	6	9

71

1	9	2	7	3	4	6	8	5
3	7	6	5	8	1	2	4	9
5	4	8	2	6	9	3	1	7
7	2	4	6	5	3	1	9	8
6	1	5	8	9	7	4	2	3
8	3	9	1	4	2	5	7	6
2	8	7	3	1	5	9	6	4
4	5	1	9	7	6	8	3	2
9	6	3	4	2	8	7	5	1

72

6	2	4	5	8	7	3	1	9
7	3	5	9	4	1	8	6	2
9	8	1	3	2	6	4	7	5
3	1	9	2	6	4	7	5	8
4	6	2	7	5	8	1	9	3
8	5	7	1	3	9	6	2	4
5	9	6	8	7	3	2	4	1
1	4	3	6	9	2	5	8	7
2	7	8	4	1	5	9	3	6

73

3	2	6	5	9	1	4	8	7
8	4	9	7	3	2	5	1	6
7	5	1	4	6	8	2	9	3
5	6	7	8	2	3	1	4	9
9	8	3	1	4	7	6	2	5
2	1	4	6	5	9	7	3	8
4	3	2	9	7	6	8	5	1
1	7	5	3	8	4	9	6	2
6	9	8	2	1	5	3	7	4

74

9	2	8	4	5	6	3	7	1
3	6	7	1	2	9	8	5	4
5	4	1	7	8	3	2	6	9
8	7	9	3	4	2	6	1	5
6	3	4	9	1	5	7	2	8
2	1	5	6	7	8	4	9	3
4	9	3	5	6	7	1	8	2
1	8	6	2	9	4	5	3	7
7	5	2	8	3	1	9	4	6

75

4	1	8	9	2	3	7	6	5
9	6	7	4	1	5	2	3	8
5	2	3	6	7	8	4	9	1
7	4	1	5	8	9	3	2	6
2	5	9	7	3	6	1	8	4
3	8	6	1	4	2	5	7	9
6	3	5	2	9	4	8	1	7
1	9	2	8	5	7	6	4	3
8	7	4	3	6	1	9	5	2

76

5	3	8	7	1	6	4	9	2
7	2	6	5	9	4	3	8	1
4	1	9	8	2	3	5	7	6
2	5	3	1	4	8	7	6	9
9	7	4	6	5	2	1	3	8
8	6	1	9	3	7	2	4	5
6	8	2	4	7	1	9	5	3
3	9	7	2	6	5	8	1	4
1	4	5	3	8	9	6	2	7

77

8	6	3	7	2	4	5	9	1
5	2	9	6	1	3	7	8	4
7	1	4	8	5	9	2	3	6
9	7	2	1	3	6	8	4	5
6	4	5	9	8	2	1	7	3
3	8	1	4	7	5	9	6	2
2	3	8	5	4	7	6	1	9
4	9	7	2	6	1	3	5	8
1	5	6	3	9	8	4	2	7

78

3	6	5	2	7	8	4	1	9
8	2	1	9	4	5	7	6	3
7	9	4	6	3	1	8	2	5
9	1	3	7	8	6	2	5	4
4	5	8	3	1	2	6	9	7
2	7	6	4	5	9	3	8	1
1	8	7	5	6	3	9	4	2
6	4	2	1	9	7	5	3	8
5	3	9	8	2	4	1	7	6

79

2	3	5	1	9	8	6	4	7
8	6	4	7	3	2	5	1	9
1	9	7	6	5	4	2	3	8
6	5	1	2	4	7	9	8	3
9	4	8	5	6	3	7	2	1
7	2	3	9	8	1	4	6	5
3	8	2	4	7	5	1	9	6
4	7	9	3	1	6	8	5	2
5	1	6	8	2	9	3	7	4

80

4	9	1	6	2	5	7	8	3
2	8	5	7	9	3	4	1	6
3	6	7	8	1	4	5	2	9
7	4	3	2	5	8	9	6	1
1	5	8	3	6	9	2	7	4
6	2	9	4	7	1	8	3	5
9	7	2	5	3	6	1	4	8
8	1	6	9	4	2	3	5	7
5	3	4	1	8	7	6	9	2

81

1	6	3	4	2	8	5	9	7
2	4	5	9	7	1	3	6	8
8	9	7	5	3	6	4	2	1
6	5	8	2	9	7	1	4	3
4	7	1	6	8	3	9	5	2
3	2	9	1	4	5	8	7	6
5	3	6	7	1	4	2	8	9
7	1	2	8	5	9	6	3	4
9	8	4	3	6	2	7	1	5

82

2	1	7	3	4	8	6	5	9
4	5	8	6	9	1	3	2	7
6	3	9	2	7	5	1	4	8
3	2	4	1	8	9	7	6	5
9	6	5	7	2	4	8	3	1
7	8	1	5	3	6	2	9	4
1	7	3	4	5	2	9	8	6
8	4	2	9	6	7	5	1	3
5	9	6	8	1	3	4	7	2

83

5	8	2	3	1	7	6	9	4
4	7	1	9	6	8	2	5	3
9	6	3	4	5	2	1	8	7
3	5	6	2	7	1	8	4	9
8	1	4	5	3	9	7	6	2
2	9	7	8	4	6	5	3	1
1	3	9	7	8	5	4	2	6
6	4	5	1	2	3	9	7	8
7	2	8	6	9	4	3	1	5

84

7	5	1	8	9	2	3	4	6
3	4	2	5	6	7	8	9	1
9	6	8	1	3	4	2	5	7
2	7	5	3	8	6	9	1	4
1	8	9	2	4	5	6	7	3
4	3	6	9	7	1	5	8	2
8	9	4	7	2	3	1	6	5
5	2	7	6	1	9	4	3	8
6	1	3	4	5	8	7	2	9

85

5	2	7	3	1	6	4	8	9
8	6	4	5	9	2	7	3	1
1	3	9	4	8	7	6	5	2
7	9	2	8	4	3	5	1	6
3	5	8	7	6	1	2	9	4
4	1	6	9	2	5	3	7	8
6	4	3	1	7	8	9	2	5
2	7	1	6	5	9	8	4	3
9	8	5	2	3	4	1	6	7

86

4	6	9	1	7	2	3	8	5
8	7	3	5	4	6	9	1	2
2	5	1	9	3	8	4	6	7
6	2	7	4	1	9	5	3	8
1	3	5	8	2	7	6	9	4
9	8	4	3	6	5	7	2	1
7	9	8	2	5	3	1	4	6
3	4	6	7	8	1	2	5	9
5	1	2	6	9	4	8	7	3

87

8	7	6	4	2	1	3	5	9
3	4	9	7	5	6	1	2	8
1	2	5	9	8	3	4	7	6
7	9	4	8	1	2	5	6	3
2	5	1	3	6	7	8	9	4
6	3	8	5	9	4	2	1	7
4	1	2	6	3	9	7	8	5
5	6	3	1	7	8	9	4	2
9	8	7	2	4	5	6	3	1

88

5	2	8	4	1	9	6	3	7
4	7	3	6	5	2	8	9	1
6	9	1	3	7	8	5	2	4
1	3	5	9	6	7	2	4	8
2	4	9	8	3	1	7	6	5
7	8	6	2	4	5	3	1	9
3	5	7	1	2	4	9	8	6
8	1	2	7	9	6	4	5	3
9	6	4	5	8	3	1	7	2

89

9	8	6	2	4	7	5	1	3
2	7	3	5	1	9	4	8	6
5	1	4	8	6	3	7	9	2
6	3	9	1	2	5	8	4	7
8	2	1	9	7	4	6	3	5
7	4	5	3	8	6	9	2	1
4	5	8	7	3	1	2	6	9
3	6	7	4	9	2	1	5	8
1	9	2	6	5	8	3	7	4

90

6	9	1	2	3	4	5	7	8
5	8	7	9	6	1	3	2	4
2	4	3	8	5	7	9	1	6
8	6	2	4	9	5	1	3	7
4	1	9	3	7	2	8	6	5
7	3	5	1	8	6	2	4	9
3	5	4	7	1	8	6	9	2
1	2	6	5	4	9	7	8	3
9	7	8	6	2	3	4	5	1

91

7	5	4	8	1	6	3	2	9
8	1	2	9	3	7	4	6	5
3	6	9	2	4	5	8	7	1
5	7	3	6	8	4	1	9	2
9	2	8	3	7	1	5	4	6
6	4	1	5	9	2	7	8	3
1	9	5	7	2	8	6	3	4
4	3	7	1	6	9	2	5	8
2	8	6	4	5	3	9	1	7

92

4	6	9	2	5	7	1	3	8
1	5	8	4	6	3	7	9	2
3	2	7	1	9	8	6	4	5
6	8	2	3	4	9	5	1	7
5	9	3	7	8	1	2	6	4
7	4	1	5	2	6	3	8	9
2	3	4	8	1	5	9	7	6
9	7	5	6	3	4	8	2	1
8	1	6	9	7	2	4	5	3

93

5	4	3	8	2	9	1	7	6
7	6	1	3	5	4	8	2	9
9	8	2	6	7	1	4	5	3
3	1	6	2	4	5	9	8	7
8	2	7	9	1	3	6	4	5
4	5	9	7	6	8	3	1	2
6	3	5	4	8	7	2	9	1
1	9	8	5	3	2	7	6	4
2	7	4	1	9	6	5	3	8

94

7	3	1	8	9	4	5	6	2
5	6	9	2	7	3	4	1	8
2	8	4	6	1	5	9	7	3
9	5	8	7	2	6	3	4	1
1	7	6	3	4	8	2	5	9
4	2	3	1	5	9	6	8	7
3	9	5	4	8	7	1	2	6
8	4	2	9	6	1	7	3	5
6	1	7	5	3	2	8	9	4

95

7	1	5	2	8	4	9	6	3
6	4	3	7	1	9	8	5	2
2	9	8	6	5	3	7	1	4
3	2	7	1	9	6	4	8	5
9	5	4	8	3	2	1	7	6
1	8	6	5	4	7	3	2	9
8	3	2	9	6	1	5	4	7
5	6	9	4	7	8	2	3	1
4	7	1	3	2	5	6	9	8

96

1	9	3	2	8	4	5	7	6
6	5	7	9	3	1	4	8	2
8	2	4	5	7	6	3	1	9
5	1	2	4	9	8	6	3	7
9	4	6	7	5	3	1	2	8
7	3	8	6	1	2	9	4	5
3	7	1	8	6	5	2	9	4
4	8	5	3	2	9	7	6	1
2	6	9	1	4	7	8	5	3

97

8	3	6	1	7	4	9	5	2
7	2	4	5	3	9	1	6	8
5	9	1	8	2	6	7	3	4
3	4	9	6	1	7	2	8	5
2	6	5	3	9	8	4	1	7
1	7	8	4	5	2	3	9	6
4	1	3	2	8	5	6	7	9
9	5	2	7	6	3	8	4	1
6	8	7	9	4	1	5	2	3

98

7	5	6	3	4	2	1	9	8
9	4	3	1	7	8	6	2	5
8	2	1	5	9	6	4	3	7
1	8	9	2	6	7	3	5	4
4	6	5	9	1	3	8	7	2
3	7	2	8	5	4	9	1	6
2	9	8	6	3	5	7	4	1
5	1	7	4	8	9	2	6	3
6	3	4	7	2	1	5	8	9

99

8	6	5	7	3	1	4	2	9
3	9	4	6	5	2	7	1	8
2	1	7	9	4	8	5	3	6
4	3	9	8	1	5	6	7	2
6	5	8	2	9	7	3	4	1
7	2	1	3	6	4	8	9	5
1	8	6	4	7	9	2	5	3
5	7	2	1	8	3	9	6	4
9	4	3	5	2	6	1	8	7

100

1	7	9	5	6	4	2	8	3
2	6	3	1	8	9	5	4	7
8	5	4	3	7	2	6	1	9
7	9	2	4	5	1	3	6	8
3	1	6	7	2	8	4	9	5
4	8	5	6	9	3	1	7	2
5	4	7	8	3	6	9	2	1
9	3	1	2	4	7	8	5	6
6	2	8	9	1	5	7	3	4

101

3	6	4	1	9	2	8	5	7
5	8	1	7	4	3	9	2	6
2	9	7	5	6	8	3	4	1
1	5	9	2	3	4	7	6	8
6	2	3	9	8	7	4	1	5
7	4	8	6	1	5	2	3	9
9	3	5	4	7	1	6	8	2
8	7	2	3	5	6	1	9	4
4	1	6	8	2	9	5	7	3

102

2	3	6	4	5	8	7	9	1
7	8	9	2	3	1	5	6	4
1	5	4	6	7	9	8	3	2
5	9	2	7	8	6	4	1	3
6	4	7	9	1	3	2	8	5
3	1	8	5	2	4	6	7	9
4	6	5	3	9	7	1	2	8
8	2	3	1	6	5	9	4	7
9	7	1	8	4	2	3	5	6

103

2	6	8	7	4	1	9	3	5
7	9	4	3	2	5	6	1	8
3	1	5	9	6	8	4	2	7
4	8	7	6	1	9	2	5	3
9	2	6	5	3	7	1	8	4
5	3	1	2	8	4	7	6	9
6	5	2	4	7	3	8	9	1
8	4	3	1	9	6	5	7	2
1	7	9	8	5	2	3	4	6

104

8	3	2	4	9	6	1	7	5
5	7	9	1	3	2	4	8	6
4	1	6	7	5	8	3	2	9
6	2	4	9	7	1	5	3	8
3	5	7	6	8	4	9	1	2
1	9	8	3	2	5	7	6	4
9	6	5	2	1	3	8	4	7
2	8	3	5	4	7	6	9	1
7	4	1	8	6	9	2	5	3

105

5	7	4	1	3	6	2	8	9
9	1	8	4	5	2	6	7	3
3	2	6	8	9	7	1	5	4
8	3	2	5	6	1	4	9	7
4	6	7	9	2	3	8	1	5
1	5	9	7	4	8	3	2	6
7	4	1	3	8	9	5	6	2
6	9	3	2	1	5	7	4	8
2	8	5	6	7	4	9	3	1

106

3	5	7	6	2	8	1	9	4
6	9	4	1	3	7	8	2	5
8	2	1	4	5	9	3	6	7
4	7	2	9	8	5	6	3	1
9	1	3	7	4	6	2	5	8
5	8	6	2	1	3	4	7	9
1	6	9	3	7	4	5	8	2
7	4	8	5	6	2	9	1	3
2	3	5	8	9	1	7	4	6

107

5	1	9	6	8	3	4	7	2
4	7	3	2	9	1	8	6	5
2	8	6	7	5	4	1	3	9
9	2	7	4	1	8	6	5	3
6	4	1	3	7	5	9	2	8
3	5	8	9	6	2	7	4	1
1	6	5	8	2	7	3	9	4
7	3	2	1	4	9	5	8	6
8	9	4	5	3	6	2	1	7

108

4	1	8	6	5	7	2	9	3
9	6	5	2	3	8	7	4	1
7	3	2	1	9	4	8	6	5
5	8	6	7	1	3	4	2	9
1	4	3	9	8	2	6	5	7
2	7	9	4	6	5	1	3	8
8	2	7	5	4	9	3	1	6
3	5	1	8	2	6	9	7	4
6	9	4	3	7	1	5	8	2

109

8	5	7	6	1	3	9	2	4
9	3	1	2	4	5	8	6	7
2	6	4	7	8	9	3	5	1
4	9	5	1	6	8	2	7	3
1	2	3	9	5	7	6	4	8
7	8	6	4	3	2	5	1	9
5	1	2	8	9	4	7	3	6
6	7	9	3	2	1	4	8	5
3	4	8	5	7	6	1	9	2

110

6	3	2	5	9	8	4	1	7
9	7	5	4	2	1	6	3	8
4	8	1	6	7	3	9	5	2
2	5	8	1	6	4	7	9	3
3	1	6	9	8	7	2	4	5
7	9	4	3	5	2	1	8	6
1	2	7	8	3	9	5	6	4
5	4	3	2	1	6	8	7	9
8	6	9	7	4	5	3	2	1

111

2	4	6	9	1	8	3	7	5
7	1	3	2	6	5	9	4	8
5	9	8	4	7	3	2	1	6
8	5	4	7	3	6	1	9	2
3	6	2	1	5	9	7	8	4
9	7	1	8	2	4	6	5	3
1	2	5	6	8	7	4	3	9
4	3	7	5	9	2	8	6	1
6	8	9	3	4	1	5	2	7

112

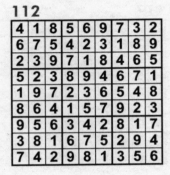

4	1	8	5	6	9	7	3	2
6	7	5	4	2	3	1	8	9
2	3	9	7	1	8	4	6	5
5	2	3	8	9	4	6	7	1
1	9	7	2	3	6	5	4	8
8	6	4	1	5	7	9	2	3
9	5	6	3	4	2	8	1	7
3	8	1	6	7	5	2	9	4
7	4	2	9	8	1	3	5	6

113

1	6	2	5	8	3	4	9	7
7	5	8	4	6	9	1	3	2
9	4	3	1	7	2	5	6	8
6	2	7	9	4	1	3	8	5
8	3	1	7	2	5	9	4	6
4	9	5	8	3	6	7	2	1
2	7	6	3	1	4	8	5	9
3	8	9	2	5	7	6	1	4
5	1	4	6	9	8	2	7	3

114

8	3	7	5	4	9	6	1	2
5	6	2	1	7	3	8	9	4
9	4	1	2	6	8	3	5	7
1	9	6	8	2	7	5	4	3
2	7	5	3	1	4	9	6	8
4	8	3	6	9	5	2	7	1
7	5	4	9	8	2	1	3	6
6	2	9	7	3	1	4	8	5
3	1	8	4	5	6	7	2	9

115

9	6	3	8	5	2	7	4	1
8	5	2	1	4	7	6	9	3
4	7	1	9	3	6	5	2	8
5	4	8	6	2	3	9	1	7
1	2	6	7	8	9	4	3	5
3	9	7	4	1	5	2	8	6
7	1	5	3	9	4	8	6	2
6	8	9	2	7	1	3	5	4
2	3	4	5	6	8	1	7	9

116

9	3	7	2	4	6	8	1	5
2	5	4	3	8	1	9	6	7
8	6	1	9	7	5	2	3	4
7	4	3	1	9	2	5	8	6
1	2	6	8	5	4	7	9	3
5	8	9	7	6	3	4	2	1
4	1	8	5	3	9	6	7	2
6	7	2	4	1	8	3	5	9
3	9	5	6	2	7	1	4	8

117

5	2	8	6	4	1	7	9	3
1	7	6	9	2	3	8	4	5
9	4	3	7	5	8	1	2	6
4	5	2	8	6	7	3	1	9
6	3	9	4	1	2	5	8	7
8	1	7	3	9	5	4	6	2
7	9	1	5	8	6	2	3	4
3	8	4	2	7	9	6	5	1
2	6	5	1	3	4	9	7	8

118

4	6	1	2	5	9	7	8	3
5	2	8	3	7	1	9	6	4
9	7	3	6	8	4	5	1	2
3	8	9	4	1	7	2	5	6
2	1	5	8	9	6	3	4	7
7	4	6	5	3	2	1	9	8
1	9	2	7	6	8	4	3	5
8	3	7	9	4	5	6	2	1
6	5	4	1	2	3	8	7	9

119

8	2	7	9	1	3	6	5	4
1	3	6	4	8	5	9	7	2
4	9	5	2	7	6	1	8	3
3	6	8	5	2	1	7	4	9
2	4	1	7	3	9	5	6	8
7	5	9	8	6	4	2	3	1
9	8	3	1	5	7	4	2	6
6	7	4	3	9	2	8	1	5
5	1	2	6	4	8	3	9	7

120

8	4	9	6	2	7	3	5	1
7	6	5	1	3	4	2	9	8
1	3	2	9	5	8	7	6	4
6	9	4	7	8	3	1	2	5
3	8	7	2	1	5	6	4	9
2	5	1	4	9	6	8	3	7
9	2	6	5	7	1	4	8	3
4	1	3	8	6	9	5	7	2
5	7	8	3	4	2	9	1	6

121

3	4	2	7	5	6	1	8	9
8	9	6	1	3	4	2	5	7
1	7	5	2	8	9	6	3	4
5	1	7	6	2	3	9	4	8
6	3	4	9	7	8	5	2	1
9	2	8	4	1	5	7	6	3
2	5	9	3	4	1	8	7	6
4	8	1	5	6	7	3	9	2
7	6	3	8	9	2	4	1	5

122

9	3	5	4	6	2	1	8	7
2	4	7	9	8	1	5	6	3
6	1	8	7	5	3	2	4	9
4	6	1	5	3	9	8	7	2
5	9	3	2	7	8	6	1	4
8	7	2	1	4	6	3	9	5
3	5	6	8	9	4	7	2	1
7	2	9	6	1	5	4	3	8
1	8	4	3	2	7	9	5	6

123

7	6	3	8	5	4	1	2	9
5	8	4	9	2	1	3	6	7
2	9	1	3	7	6	8	4	5
9	2	6	7	1	3	4	5	8
4	5	8	6	9	2	7	3	1
3	1	7	5	4	8	6	9	2
8	4	9	1	6	5	2	7	3
1	7	2	4	3	9	5	8	6
6	3	5	2	8	7	9	1	4

124

5	9	7	2	6	4	3	8	1
4	2	1	7	3	8	6	9	5
6	3	8	5	1	9	4	2	7
7	8	6	1	9	5	2	3	4
2	1	4	3	8	7	5	6	9
3	5	9	4	2	6	7	1	8
1	6	5	8	4	3	9	7	2
8	4	3	9	7	2	1	5	6
9	7	2	6	5	1	8	4	3

125

2	9	4	3	7	5	1	8	6
8	7	3	2	6	1	9	5	4
6	1	5	4	9	8	7	2	3
5	6	8	1	4	9	3	7	2
4	2	9	8	3	7	6	1	5
7	3	1	6	5	2	4	9	8
3	8	2	9	1	4	5	6	7
1	4	7	5	2	6	8	3	9
9	5	6	7	8	3	2	4	1

126

2	5	4	8	7	9	3	6	1
3	8	1	5	6	2	9	7	4
9	6	7	3	1	4	8	2	5
4	1	3	6	9	5	7	8	2
7	2	6	4	8	1	5	3	9
5	9	8	2	3	7	4	1	6
8	4	5	7	2	6	1	9	3
1	3	2	9	5	8	6	4	7
6	7	9	1	4	3	2	5	8

127

9	8	2	6	5	1	7	3	4
4	1	7	3	2	8	9	5	6
5	3	6	9	4	7	2	8	1
7	6	5	2	9	4	3	1	8
1	2	9	8	6	3	5	4	7
3	4	8	1	7	5	6	2	9
6	9	3	4	8	2	1	7	5
8	5	1	7	3	6	4	9	2
2	7	4	5	1	9	8	6	3

128

1	4	6	3	5	2	7	9	8
2	9	3	1	7	8	6	4	5
8	5	7	4	9	6	3	2	1
6	1	5	2	4	9	8	7	3
3	8	2	6	1	7	4	5	9
9	7	4	5	8	3	2	1	6
7	6	1	9	3	4	5	8	2
5	2	8	7	6	1	9	3	4
4	3	9	8	2	5	1	6	7

129

2	8	9	7	6	3	4	1	5
7	6	3	5	4	1	8	2	9
4	1	5	9	8	2	3	7	6
6	9	8	2	5	4	7	3	1
5	4	7	1	3	8	9	6	2
3	2	1	6	7	9	5	4	8
9	5	4	3	2	6	1	8	7
8	7	6	4	1	5	2	9	3
1	3	2	8	9	7	6	5	4

130

5	1	4	3	9	2	6	8	7
7	6	2	5	8	1	9	4	3
8	3	9	7	4	6	5	2	1
2	7	6	4	5	8	1	3	9
1	9	3	6	2	7	8	5	4
4	8	5	9	1	3	2	7	6
3	5	7	2	6	9	4	1	8
9	2	8	1	7	4	3	6	5
6	4	1	8	3	5	7	9	2

131

3	9	8	1	2	5	4	6	7
6	5	4	7	3	9	8	1	2
2	1	7	6	8	4	5	3	9
9	4	6	8	7	3	1	2	5
1	8	5	4	9	2	6	7	3
7	2	3	5	6	1	9	8	4
8	3	2	9	5	6	7	4	1
4	7	9	3	1	8	2	5	6
5	6	1	2	4	7	3	9	8

132

4	7	8	9	6	2	1	5	3
3	1	2	4	5	7	6	8	9
5	6	9	3	1	8	4	2	7
7	5	1	6	2	4	9	3	8
6	9	4	7	8	3	5	1	2
2	8	3	5	9	1	7	4	6
1	3	6	8	4	9	2	7	5
8	2	5	1	7	6	3	9	4
9	4	7	2	3	5	8	6	1

133

6	7	5	4	9	2	1	8	3
3	1	8	7	5	6	4	2	9
9	2	4	8	3	1	5	7	6
4	6	2	3	1	5	7	9	8
1	9	7	6	8	4	3	5	2
5	8	3	2	7	9	6	1	4
7	4	1	9	6	8	2	3	5
8	3	6	5	2	7	9	4	1
2	5	9	1	4	3	8	6	7

134

6	2	9	5	8	3	4	1	7
1	5	3	2	4	7	6	8	9
8	7	4	1	6	9	2	5	3
2	3	1	8	9	5	7	6	4
5	4	7	6	3	1	9	2	8
9	8	6	4	7	2	5	3	1
3	9	8	7	5	6	1	4	2
4	1	5	9	2	8	3	7	6
7	6	2	3	1	4	8	9	5

135

8	2	7	1	4	6	5	3	9
4	9	6	2	3	5	8	7	1
3	1	5	8	7	9	6	4	2
7	6	9	3	1	4	2	8	5
2	3	1	5	9	8	7	6	4
5	8	4	6	2	7	1	9	3
1	7	8	4	5	3	9	2	6
9	4	2	7	6	1	3	5	8
6	5	3	9	8	2	4	1	7

136

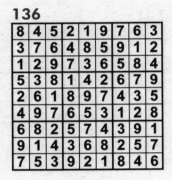

8	4	5	2	1	9	7	6	3
3	7	6	4	8	5	9	1	2
1	2	9	7	3	6	5	8	4
5	3	8	1	4	2	6	7	9
2	6	1	8	9	7	4	3	5
4	9	7	6	5	3	1	2	8
6	8	2	5	7	4	3	9	1
9	1	4	3	6	8	2	5	7
7	5	3	9	2	1	8	4	6

137

9	6	5	3	1	8	2	4	7
4	3	2	7	6	5	9	1	8
8	7	1	4	2	9	6	3	5
1	8	4	6	7	2	3	5	9
5	2	6	9	3	1	7	8	4
3	9	7	5	8	4	1	6	2
6	4	9	2	5	3	8	7	1
2	1	3	8	4	7	5	9	6
7	5	8	1	9	6	4	2	3

138

3	2	1	7	4	5	6	9	8
9	7	8	2	3	6	4	1	5
5	6	4	8	9	1	2	3	7
2	3	6	5	8	7	1	4	9
1	5	7	4	6	9	8	2	3
8	4	9	3	1	2	5	7	6
4	8	2	9	5	3	7	6	1
6	9	5	1	7	4	3	8	2
7	1	3	6	2	8	9	5	4

139

7	5	8	2	9	1	4	3	6
1	2	3	4	6	5	9	8	7
9	6	4	7	3	8	2	1	5
3	4	2	9	5	6	1	7	8
6	7	5	8	1	2	3	4	9
8	1	9	3	7	4	5	6	2
4	8	7	1	2	9	6	5	3
5	9	1	6	8	3	7	2	4
2	3	6	5	4	7	8	9	1

140

4	6	8	7	9	5	1	2	3
7	1	2	3	6	8	4	9	5
5	3	9	4	1	2	8	6	7
8	2	3	5	7	9	6	4	1
6	4	1	2	8	3	5	7	9
9	5	7	1	4	6	3	8	2
1	8	6	9	3	7	2	5	4
2	9	4	8	5	1	7	3	6
3	7	5	6	2	4	9	1	8

141

7	8	6	9	1	3	5	2	4
9	5	2	6	4	8	3	1	7
1	4	3	7	2	5	9	8	6
4	9	8	1	5	6	7	3	2
3	6	5	2	9	7	1	4	8
2	7	1	3	8	4	6	5	9
5	1	7	8	6	2	4	9	3
8	3	9	4	7	1	2	6	5
6	2	4	5	3	9	8	7	1

142

7	2	8	3	5	6	1	9	4
6	1	4	7	9	8	5	3	2
5	3	9	4	1	2	8	7	6
3	8	2	5	6	4	9	1	7
9	6	7	8	3	1	2	4	5
4	5	1	9	2	7	6	8	3
8	9	3	6	4	5	7	2	1
1	7	5	2	8	3	4	6	9
2	4	6	1	7	9	3	5	8

143

5	6	3	1	8	7	4	9	2
1	7	9	4	2	5	6	8	3
2	8	4	9	6	3	5	7	1
9	3	7	2	5	6	1	4	8
4	5	8	3	9	1	7	2	6
6	2	1	8	7	4	3	5	9
8	1	6	5	4	9	2	3	7
3	4	2	7	1	8	9	6	5
7	9	5	6	3	2	8	1	4

144

2	9	7	1	3	4	6	5	8
6	3	4	8	5	2	1	7	9
8	1	5	6	9	7	2	4	3
1	2	6	9	7	3	4	8	5
7	8	3	5	4	1	9	2	6
4	5	9	2	6	8	3	1	7
3	4	8	7	2	9	5	6	1
5	7	2	3	1	6	8	9	4
9	6	1	4	8	5	7	3	2

145

6	8	7	5	9	2	3	1	4
2	5	3	1	4	6	8	9	7
9	1	4	7	3	8	2	6	5
5	9	2	3	8	1	7	4	6
8	4	1	9	6	7	5	2	3
7	3	6	4	2	5	9	8	1
3	6	5	8	1	9	4	7	2
4	2	8	6	7	3	1	5	9
1	7	9	2	5	4	6	3	8

146

4	9	8	6	7	2	3	1	5
2	5	6	3	1	9	7	4	8
1	7	3	4	8	5	2	9	6
9	1	7	5	3	8	4	6	2
6	3	4	1	2	7	5	8	9
8	2	5	9	4	6	1	3	7
5	6	1	2	9	4	8	7	3
3	8	9	7	5	1	6	2	4
7	4	2	8	6	3	9	5	1

147

6	1	9	8	3	5	2	4	7
7	4	3	2	9	1	5	8	6
5	2	8	7	6	4	9	1	3
1	3	6	5	7	2	4	9	8
9	7	5	6	4	8	3	2	1
2	8	4	9	1	3	7	6	5
8	5	1	3	2	9	6	7	4
4	6	2	1	5	7	8	3	9
3	9	7	4	8	6	1	5	2

148

6	8	1	3	7	5	2	4	9
5	3	4	2	8	9	6	7	1
9	7	2	6	1	4	8	3	5
3	1	6	5	4	2	9	8	7
7	5	9	8	6	3	4	1	2
2	4	8	1	9	7	5	6	3
1	9	7	4	5	8	3	2	6
8	2	5	7	3	6	1	9	4
4	6	3	9	2	1	7	5	8

149

5	7	4	3	1	8	2	6	9
9	8	1	6	2	7	5	4	3
6	3	2	4	9	5	8	1	7
3	9	6	2	7	4	1	5	8
8	2	7	1	5	3	6	9	4
1	4	5	9	8	6	7	3	2
7	1	9	5	3	2	4	8	6
4	5	8	7	6	9	3	2	1
2	6	3	8	4	1	9	7	5

150

2	9	8	6	4	3	1	5	7
5	7	1	9	2	8	4	6	3
3	4	6	5	1	7	8	2	9
8	5	7	3	6	2	9	4	1
9	2	3	1	7	4	6	8	5
6	1	4	8	5	9	3	7	2
1	8	5	7	9	6	2	3	4
4	3	9	2	8	5	7	1	6
7	6	2	4	3	1	5	9	8

151

4	6	1	3	8	7	5	9	2
3	7	5	9	2	1	6	8	4
9	8	2	6	4	5	7	1	3
8	4	6	5	3	9	1	2	7
7	5	3	2	1	8	9	4	6
2	1	9	4	7	6	3	5	8
6	2	4	1	5	3	8	7	9
5	3	8	7	9	2	4	6	1
1	9	7	8	6	4	2	3	5

152

4	1	3	9	8	5	6	7	2
2	5	7	6	4	3	8	1	9
8	6	9	2	1	7	4	3	5
9	4	6	1	7	2	3	5	8
7	2	5	4	3	8	9	6	1
3	8	1	5	6	9	2	4	7
6	7	8	3	9	1	5	2	4
5	9	4	7	2	6	1	8	3
1	3	2	8	5	4	7	9	6

153

1	4	3	2	5	9	6	8	7
5	7	2	8	6	1	4	9	3
9	6	8	3	7	4	5	1	2
2	1	4	9	8	7	3	5	6
8	5	6	4	1	3	2	7	9
3	9	7	6	2	5	1	4	8
6	2	9	5	4	8	7	3	1
7	3	5	1	9	6	8	2	4
4	8	1	7	3	2	9	6	5

154

4	6	7	8	3	5	2	1	9
1	5	3	9	2	4	8	7	6
2	8	9	7	6	1	3	5	4
3	1	8	6	7	2	4	9	5
9	7	5	4	8	3	1	6	2
6	2	4	1	5	9	7	3	8
7	9	2	5	1	8	6	4	3
8	4	1	3	9	6	5	2	7
5	3	6	2	4	7	9	8	1

155

4	7	6	1	3	9	5	2	8
9	8	3	2	5	7	4	1	6
5	2	1	4	8	6	3	9	7
3	1	2	8	6	5	7	4	9
6	9	8	3	7	4	2	5	1
7	4	5	9	2	1	6	8	3
2	5	9	7	1	3	8	6	4
1	6	7	5	4	8	9	3	2
8	3	4	6	9	2	1	7	5

156

9	6	2	3	7	4	1	8	5
4	3	5	9	8	1	7	2	6
1	8	7	2	6	5	9	3	4
8	5	9	4	1	2	6	7	3
3	7	4	8	9	6	5	1	2
6	2	1	5	3	7	4	9	8
5	1	3	7	4	8	2	6	9
7	4	8	6	2	9	3	5	1
2	9	6	1	5	3	8	4	7

157

3	6	8	9	7	5	2	1	4
7	1	5	6	2	4	9	3	8
2	9	4	1	8	3	5	6	7
8	5	9	3	4	2	6	7	1
6	3	2	7	9	1	8	4	5
1	4	7	8	5	6	3	9	2
4	8	3	2	6	7	1	5	9
9	7	6	5	1	8	4	2	3
5	2	1	4	3	9	7	8	6

158

4	7	5	2	8	3	1	6	9
2	9	3	6	1	7	5	8	4
8	1	6	4	9	5	3	2	7
3	4	8	9	5	6	2	7	1
6	2	1	8	7	4	9	3	5
9	5	7	1	3	2	8	4	6
5	8	4	3	6	9	7	1	2
7	3	2	5	4	1	6	9	8
1	6	9	7	2	8	4	5	3

159

2	6	8	1	3	9	7	5	4
9	3	7	5	4	6	2	8	1
4	1	5	2	8	7	3	6	9
5	9	1	8	7	2	4	3	6
7	2	4	9	6	3	8	1	5
6	8	3	4	1	5	9	7	2
3	4	6	7	2	1	5	9	8
1	5	2	3	9	8	6	4	7
8	7	9	6	5	4	1	2	3

160

8	3	2	1	9	5	7	6	4
9	7	6	4	8	3	1	5	2
4	1	5	2	7	6	9	3	8
5	4	8	3	1	7	6	2	9
6	9	7	8	2	4	5	1	3
3	2	1	6	5	9	8	4	7
2	5	4	9	6	8	3	7	1
1	6	9	7	3	2	4	8	5
7	8	3	5	4	1	2	9	6

161

1	8	5	6	7	2	4	3	9
6	7	3	9	5	4	2	8	1
9	2	4	8	1	3	7	6	5
8	5	2	3	4	1	9	7	6
3	4	1	7	9	6	5	2	8
7	9	6	5	2	8	1	4	3
5	6	9	4	8	7	3	1	2
2	3	7	1	6	5	8	9	4
4	1	8	2	3	9	6	5	7

162

7	9	4	2	1	3	5	8	6
8	1	3	6	9	5	4	2	7
5	6	2	8	4	7	9	3	1
2	8	9	7	6	4	1	5	3
6	4	1	5	3	2	7	9	8
3	5	7	1	8	9	6	4	2
4	7	8	9	2	6	3	1	5
9	2	5	3	7	1	8	6	4
1	3	6	4	5	8	2	7	9

163

3	1	4	8	5	7	6	2	9
6	8	9	4	3	2	5	7	1
2	5	7	1	6	9	3	8	4
7	2	1	5	9	8	4	6	3
4	3	5	6	2	1	7	9	8
8	9	6	3	7	4	1	5	2
9	7	3	2	4	6	8	1	5
1	4	2	7	8	5	9	3	6
5	6	8	9	1	3	2	4	7

164

9	3	7	4	8	5	1	2	6
8	1	2	3	7	6	9	5	4
6	5	4	9	1	2	8	3	7
4	6	1	7	3	9	5	8	2
3	7	9	2	5	8	6	4	1
2	8	5	1	6	4	3	7	9
7	4	6	8	9	3	2	1	5
5	2	3	6	4	1	7	9	8
1	9	8	5	2	7	4	6	3

165

6	5	4	8	7	9	1	3	2
2	8	9	1	5	3	6	4	7
1	3	7	6	4	2	5	9	8
7	4	3	9	2	1	8	5	6
8	2	6	5	3	4	7	1	9
9	1	5	7	6	8	4	2	3
4	6	2	3	8	5	9	7	1
3	7	1	4	9	6	2	8	5
5	9	8	2	1	7	3	6	4

166

7	6	1	8	9	2	4	5	3
2	9	3	4	1	5	8	6	7
4	8	5	6	7	3	2	9	1
1	4	6	3	8	7	9	2	5
5	7	2	9	6	1	3	8	4
9	3	8	5	2	4	1	7	6
8	5	4	2	3	6	7	1	9
3	2	7	1	5	9	6	4	8
6	1	9	7	4	8	5	3	2

167

1	2	7	9	8	4	5	6	3
8	4	5	6	2	3	7	1	9
9	3	6	5	7	1	8	4	2
3	6	8	2	1	5	9	7	4
4	7	1	3	9	6	2	5	8
2	5	9	7	4	8	1	3	6
6	8	2	4	5	7	3	9	1
7	9	3	1	6	2	4	8	5
5	1	4	8	3	9	6	2	7

168

7	8	5	9	6	1	4	2	3
9	6	3	5	4	2	1	7	8
2	4	1	8	3	7	5	6	9
4	9	2	1	5	8	7	3	6
6	1	7	3	2	9	8	4	5
3	5	8	6	7	4	2	9	1
5	7	9	2	8	6	3	1	4
8	2	6	4	1	3	9	5	7
1	3	4	7	9	5	6	8	2

169

6	2	5	4	8	9	7	3	1
4	8	9	1	3	7	6	5	2
1	7	3	5	6	2	4	9	8
9	3	8	7	4	5	2	1	6
2	6	1	8	9	3	5	7	4
7	5	4	6	2	1	9	8	3
8	1	2	9	7	6	3	4	5
3	4	7	2	5	8	1	6	9
5	9	6	3	1	4	8	2	7

170

1	7	5	9	8	6	2	4	3
9	2	3	4	7	5	8	6	1
4	8	6	1	2	3	5	9	7
3	4	9	2	6	8	1	7	5
5	6	2	7	3	1	4	8	9
7	1	8	5	9	4	6	3	2
2	9	4	6	1	7	3	5	8
6	3	7	8	5	2	9	1	4
8	5	1	3	4	9	7	2	6

171

6	5	8	2	4	1	3	9	7
1	4	3	9	7	8	6	5	2
7	9	2	3	5	6	1	8	4
4	1	9	5	2	7	8	3	6
8	3	5	6	9	4	2	7	1
2	7	6	1	8	3	5	4	9
3	2	7	8	1	9	4	6	5
9	8	1	4	6	5	7	2	3
5	6	4	7	3	2	9	1	8

172

7	2	5	1	9	6	4	8	3
3	1	4	5	8	7	9	6	2
6	9	8	2	4	3	7	1	5
1	7	9	3	5	2	6	4	8
8	5	2	4	6	9	1	3	7
4	3	6	8	7	1	5	2	9
5	8	7	6	2	4	3	9	1
2	6	1	9	3	5	8	7	4
9	4	3	7	1	8	2	5	6

173

9	2	4	7	1	5	6	8	3
7	5	3	6	9	8	1	2	4
8	6	1	3	4	2	9	7	5
2	9	5	1	8	3	4	6	7
3	8	7	4	6	9	2	5	1
1	4	6	5	2	7	3	9	8
5	3	9	2	7	1	8	4	6
4	1	8	9	5	6	7	3	2
6	7	2	8	3	4	5	1	9

174

5	7	3	6	9	4	1	2	8
1	4	9	2	3	8	5	7	6
8	6	2	5	7	1	9	3	4
4	5	6	9	2	3	7	8	1
7	3	1	8	5	6	4	9	2
9	2	8	4	1	7	3	6	5
2	8	5	7	4	9	6	1	3
3	9	4	1	6	2	8	5	7
6	1	7	3	8	5	2	4	9

175

2	9	7	6	5	8	1	4	3
8	3	5	4	1	7	6	2	9
6	4	1	2	3	9	5	8	7
9	7	8	1	6	2	4	3	5
5	6	4	9	7	3	2	1	8
1	2	3	8	4	5	7	9	6
3	8	6	5	2	4	9	7	1
4	1	9	7	8	6	3	5	2
7	5	2	3	9	1	8	6	4

176

7	5	3	9	2	1	8	4	6
4	9	6	3	8	5	7	1	2
8	1	2	6	7	4	3	5	9
3	7	5	2	1	9	4	6	8
1	4	9	8	6	3	5	2	7
2	6	8	4	5	7	9	3	1
5	8	7	1	3	6	2	9	4
6	3	4	7	9	2	1	8	5
9	2	1	5	4	8	6	7	3

177

5	2	7	8	9	3	1	6	4
8	3	1	4	6	2	5	7	9
9	4	6	5	1	7	8	2	3
1	8	5	2	3	6	4	9	7
6	9	3	7	5	4	2	8	1
2	7	4	1	8	9	3	5	6
4	6	9	3	2	5	7	1	8
7	1	2	9	4	8	6	3	5
3	5	8	6	7	1	9	4	2

178

8	5	2	4	3	7	1	9	6
9	3	7	6	2	1	4	5	8
6	4	1	5	9	8	2	3	7
2	8	9	3	1	4	7	6	5
4	6	3	7	8	5	9	2	1
7	1	5	9	6	2	8	4	3
3	7	8	2	5	9	6	1	4
5	2	4	1	7	6	3	8	9
1	9	6	8	4	3	5	7	2

179

6	2	7	1	8	9	4	5	3
8	4	9	5	3	7	6	1	2
1	5	3	6	4	2	7	9	8
9	7	2	8	6	1	3	4	5
4	6	8	9	5	3	2	7	1
3	1	5	2	7	4	9	8	6
2	8	1	7	9	6	5	3	4
5	9	4	3	2	8	1	6	7
7	3	6	4	1	5	8	2	9

180

5	3	4	9	2	8	6	7	1
8	9	6	1	7	3	5	4	2
2	1	7	4	6	5	8	9	3
4	6	5	7	1	2	9	3	8
9	7	2	8	3	6	1	5	4
3	8	1	5	4	9	2	6	7
1	2	3	6	9	7	4	8	5
7	5	9	2	8	4	3	1	6
6	4	8	3	5	1	7	2	9

181

7	9	1	6	5	8	3	2	4
8	3	4	1	2	9	6	7	5
6	2	5	4	7	3	8	1	9
1	4	3	5	8	7	2	9	6
5	7	9	2	1	6	4	8	3
2	8	6	3	9	4	1	5	7
9	6	2	7	3	1	5	4	8
3	1	7	8	4	5	9	6	2
4	5	8	9	6	2	7	3	1

182

1	3	8	6	2	5	4	9	7
7	6	9	4	1	3	5	8	2
5	2	4	7	8	9	6	1	3
6	9	5	1	7	4	3	2	8
2	1	3	9	5	8	7	4	6
4	8	7	2	3	6	1	5	9
3	4	1	8	6	2	9	7	5
8	7	6	5	9	1	2	3	4
9	5	2	3	4	7	8	6	1

183

9	3	7	6	5	1	4	2	8
2	4	5	8	3	7	1	9	6
6	8	1	4	2	9	5	3	7
3	6	4	5	7	2	8	1	9
1	5	2	9	8	3	6	7	4
7	9	8	1	4	6	2	5	3
8	2	9	3	1	4	7	6	5
5	7	6	2	9	8	3	4	1
4	1	3	7	6	5	9	8	2

184

2	8	4	1	7	9	3	6	5
7	9	5	4	3	6	2	8	1
1	3	6	8	2	5	9	7	4
9	5	1	6	8	7	4	3	2
6	2	8	3	4	1	7	5	9
4	7	3	5	9	2	6	1	8
5	1	7	2	6	4	8	9	3
8	6	2	9	5	3	1	4	7
3	4	9	7	1	8	5	2	6

185

3	2	1	7	8	9	6	4	5
7	9	6	5	4	3	2	1	8
5	4	8	2	6	1	9	3	7
4	1	7	9	5	6	3	8	2
8	6	9	3	2	4	5	7	1
2	3	5	1	7	8	4	9	6
6	7	4	8	3	2	1	5	9
1	5	3	6	9	7	8	2	4
9	8	2	4	1	5	7	6	3

186

1	4	8	3	7	6	9	2	5
7	9	3	5	8	2	6	4	1
6	5	2	9	4	1	8	7	3
5	1	4	2	6	8	3	9	7
8	2	9	7	1	3	5	6	4
3	6	7	4	5	9	1	8	2
4	7	6	8	3	5	2	1	9
2	3	1	6	9	4	7	5	8
9	8	5	1	2	7	4	3	6

187

8	3	2	7	4	9	6	1	5
7	6	5	2	3	1	9	4	8
4	9	1	6	5	8	3	7	2
9	7	6	8	2	3	4	5	1
2	1	3	4	6	5	7	8	9
5	8	4	9	1	7	2	6	3
6	5	9	1	7	2	8	3	4
1	4	8	3	9	6	5	2	7
3	2	7	5	8	4	1	9	6

188

4	7	5	1	8	6	2	9	3
1	9	6	2	7	3	8	5	4
3	2	8	4	9	5	1	6	7
8	5	3	9	2	1	4	7	6
6	4	7	3	5	8	9	1	2
9	1	2	6	4	7	5	3	8
5	6	4	7	1	2	3	8	9
7	8	9	5	3	4	6	2	1
2	3	1	8	6	9	7	4	5

189

3	1	9	8	7	4	5	6	2
5	7	6	2	1	3	8	4	9
4	2	8	5	6	9	1	7	3
1	4	3	6	5	8	2	9	7
8	9	7	1	3	2	4	5	6
2	6	5	9	4	7	3	8	1
7	5	2	3	8	6	9	1	4
9	8	4	7	2	1	6	3	5
6	3	1	4	9	5	7	2	8

190

6	8	5	2	3	4	7	1	9
4	3	2	9	1	7	6	5	8
9	7	1	5	8	6	3	2	4
3	1	6	4	9	8	5	7	2
2	5	9	7	6	1	4	8	3
7	4	8	3	2	5	9	6	1
1	9	7	6	4	2	8	3	5
5	2	3	8	7	9	1	4	6
8	6	4	1	5	3	2	9	7

191

9	2	1	8	4	6	7	5	3
8	5	3	9	7	1	6	2	4
7	6	4	3	5	2	1	9	8
5	7	2	1	3	4	9	8	6
6	3	9	2	8	5	4	7	1
4	1	8	6	9	7	2	3	5
2	8	7	4	1	3	5	6	9
1	9	6	5	2	8	3	4	7
3	4	5	7	6	9	8	1	2

192

2	6	9	4	5	1	7	3	8
4	7	3	9	6	8	2	1	5
8	1	5	7	3	2	4	9	6
9	3	6	5	1	4	8	2	7
5	2	1	8	7	6	9	4	3
7	8	4	2	9	3	5	6	1
6	4	8	1	2	7	3	5	9
3	5	2	6	8	9	1	7	4
1	9	7	3	4	5	6	8	2

193

5	8	6	4	7	2	9	3	1
1	7	2	3	9	5	8	6	4
3	4	9	1	6	8	2	5	7
4	9	5	6	2	3	7	1	8
8	2	3	9	1	7	5	4	6
7	6	1	8	5	4	3	9	2
6	3	8	7	4	9	1	2	5
9	5	4	2	8	1	6	7	3
2	1	7	5	3	6	4	8	9

194

6	2	1	8	3	5	4	9	7
5	9	7	4	2	1	6	3	8
8	3	4	9	6	7	5	2	1
4	5	9	2	1	6	7	8	3
2	7	6	3	9	8	1	5	4
3	1	8	7	5	4	2	6	9
9	6	3	1	4	2	8	7	5
7	4	2	5	8	3	9	1	6
1	8	5	6	7	9	3	4	2

195

6	2	8	5	7	1	9	4	3
9	4	7	6	2	3	8	5	1
1	3	5	9	4	8	2	6	7
2	8	6	7	1	4	5	3	9
4	1	9	2	3	5	7	8	6
5	7	3	8	9	6	4	1	2
7	6	4	1	5	9	3	2	8
8	5	2	3	6	7	1	9	4
3	9	1	4	8	2	6	7	5

196

2	4	8	9	1	6	3	7	5
6	5	3	4	7	2	9	1	8
9	7	1	5	3	8	6	2	4
3	8	5	1	2	4	7	9	6
7	1	2	6	8	9	4	5	3
4	9	6	3	5	7	1	8	2
1	6	4	2	9	5	8	3	7
5	3	7	8	4	1	2	6	9
8	2	9	7	6	3	5	4	1

197

8	4	1	3	6	5	2	9	7
2	7	3	4	1	9	5	6	8
5	6	9	2	8	7	1	3	4
4	1	7	9	5	3	6	8	2
9	8	2	6	4	1	3	7	5
6	3	5	8	7	2	9	4	1
7	5	8	1	3	6	4	2	9
1	9	6	7	2	4	8	5	3
3	2	4	5	9	8	7	1	6

198

5	6	9	4	3	2	7	8	1
2	4	1	8	6	7	5	9	3
8	3	7	9	5	1	4	2	6
3	9	8	6	1	5	2	4	7
1	2	4	3	7	9	6	5	8
7	5	6	2	8	4	3	1	9
6	8	2	1	4	3	9	7	5
9	7	3	5	2	8	1	6	4
4	1	5	7	9	6	8	3	2

199

6	4	7	5	2	1	8	9	3
2	1	3	8	9	6	4	7	5
8	5	9	3	7	4	1	2	6
4	7	8	6	1	5	2	3	9
9	3	2	4	8	7	5	6	1
1	6	5	2	3	9	7	4	8
3	8	4	1	6	2	9	5	7
5	9	6	7	4	8	3	1	2
7	2	1	9	5	3	6	8	4

200

8	6	3	2	5	7	1	4	9
7	5	2	1	4	9	3	8	6
4	1	9	8	3	6	5	2	7
6	3	5	4	8	1	9	7	2
9	7	4	6	2	3	8	1	5
2	8	1	9	7	5	4	6	3
1	2	7	3	9	4	6	5	8
3	4	8	5	6	2	7	9	1
5	9	6	7	1	8	2	3	4

201

7	8	1	2	6	3	9	4	5
9	5	3	8	7	4	1	6	2
6	2	4	5	9	1	8	7	3
8	6	7	9	5	2	4	3	1
1	4	9	7	3	8	2	5	6
2	3	5	4	1	6	7	8	9
4	1	6	3	8	9	5	2	7
3	7	8	1	2	5	6	9	4
5	9	2	6	4	7	3	1	8

202

4	6	5	3	9	7	1	8	2
3	9	2	8	6	1	4	5	7
1	8	7	4	5	2	6	3	9
9	1	6	7	4	8	3	2	5
2	3	4	9	1	5	7	6	8
5	7	8	6	2	3	9	4	1
8	2	9	1	3	4	5	7	6
7	4	1	5	8	6	2	9	3
6	5	3	2	7	9	8	1	4

203

5	3	8	4	1	6	2	7	9
2	6	7	5	9	8	1	4	3
9	1	4	3	7	2	5	8	6
4	8	9	2	6	5	7	3	1
6	2	5	7	3	1	4	9	8
1	7	3	8	4	9	6	5	2
7	5	2	1	8	3	9	6	4
8	9	1	6	5	4	3	2	7
3	4	6	9	2	7	8	1	5

204

2	8	3	5	9	7	1	6	4
7	5	6	1	2	4	3	8	9
1	4	9	8	6	3	2	7	5
9	2	5	4	7	8	6	1	3
4	3	8	6	1	9	7	5	2
6	7	1	3	5	2	4	9	8
5	6	2	9	3	1	8	4	7
3	1	4	7	8	5	9	2	6
8	9	7	2	4	6	5	3	1

205

5	4	2	6	7	9	1	8	3
9	8	1	3	2	4	6	5	7
7	3	6	5	8	1	9	4	2
3	6	4	2	5	8	7	9	1
1	9	5	4	3	7	8	2	6
8	2	7	9	1	6	5	3	4
2	7	8	1	4	5	3	6	9
4	5	9	7	6	3	2	1	8
6	1	3	8	9	2	4	7	5

206

5	6	7	9	2	4	8	1	3
8	9	1	3	5	7	2	6	4
3	2	4	6	8	1	7	5	9
7	4	8	1	6	5	3	9	2
6	5	9	4	3	2	1	7	8
2	1	3	8	7	9	6	4	5
1	3	6	5	9	8	4	2	7
4	7	5	2	1	3	9	8	6
9	8	2	7	4	6	5	3	1

207

3	9	6	7	2	8	5	1	4
1	5	2	6	4	9	8	7	3
8	7	4	5	1	3	6	9	2
6	4	8	3	7	2	9	5	1
7	3	5	8	9	1	2	4	6
2	1	9	4	5	6	3	8	7
4	6	7	9	3	5	1	2	8
9	2	3	1	8	4	7	6	5
5	8	1	2	6	7	4	3	9

208

6	3	1	4	5	8	7	9	2
2	8	7	9	1	3	5	6	4
4	9	5	7	6	2	1	3	8
1	4	3	2	9	6	8	5	7
5	7	9	3	8	4	6	2	1
8	6	2	5	7	1	3	4	9
3	1	8	6	2	9	4	7	5
7	2	4	8	3	5	9	1	6
9	5	6	1	4	7	2	8	3

209

2	3	8	1	9	5	6	4	7
6	9	4	3	7	2	1	8	5
1	5	7	4	8	6	2	9	3
7	2	5	8	4	9	3	6	1
9	8	1	2	6	3	7	5	4
3	4	6	7	5	1	9	2	8
4	1	9	5	2	7	8	3	6
8	7	2	6	3	4	5	1	9
5	6	3	9	1	8	4	7	2

210

1	2	3	6	5	7	9	8	4
6	8	7	4	9	3	1	2	5
4	5	9	8	2	1	3	7	6
5	1	8	9	6	2	4	3	7
2	9	4	3	7	8	5	6	1
3	7	6	1	4	5	2	9	8
8	6	2	5	1	9	7	4	3
9	3	1	7	8	4	6	5	2
7	4	5	2	3	6	8	1	9

211

3	1	6	2	7	4	5	9	8
9	7	4	3	8	5	1	6	2
2	8	5	1	6	9	7	3	4
1	6	7	5	3	8	4	2	9
5	3	8	9	4	2	6	1	7
4	2	9	7	1	6	8	5	3
6	5	3	4	2	7	9	8	1
8	4	2	6	9	1	3	7	5
7	9	1	8	5	3	2	4	6

212

2	5	6	9	8	4	3	7	1
4	1	3	5	6	7	2	9	8
9	7	8	3	2	1	5	6	4
1	8	4	2	9	3	6	5	7
6	9	5	7	1	8	4	2	3
7	3	2	4	5	6	8	1	9
3	2	1	6	4	9	7	8	5
5	4	9	8	7	2	1	3	6
8	6	7	1	3	5	9	4	2

213

1	2	3	7	9	8	4	6	5
4	7	8	1	5	6	9	3	2
6	9	5	4	2	3	7	8	1
3	4	6	9	7	5	1	2	8
8	1	7	6	4	2	5	9	3
9	5	2	3	8	1	6	4	7
2	8	9	5	6	7	3	1	4
5	3	4	8	1	9	2	7	6
7	6	1	2	3	4	8	5	9

214

6	3	9	5	1	4	8	2	7
1	8	2	6	7	3	9	5	4
5	7	4	9	8	2	1	6	3
8	6	3	1	4	9	2	7	5
2	9	7	3	5	8	4	1	6
4	1	5	2	6	7	3	9	8
3	5	8	7	9	1	6	4	2
7	2	1	4	3	6	5	8	9
9	4	6	8	2	5	7	3	1

215

7	4	9	8	2	6	1	3	5
5	3	6	9	4	1	2	8	7
8	2	1	3	5	7	6	4	9
1	9	3	4	7	5	8	6	2
4	5	8	6	9	2	7	1	3
6	7	2	1	8	3	5	9	4
2	8	4	7	1	9	3	5	6
3	1	5	2	6	4	9	7	8
9	6	7	5	3	8	4	2	1

216

1	3	2	7	5	9	8	4	6
4	8	5	1	3	6	2	9	7
6	7	9	2	8	4	5	3	1
2	9	1	8	4	5	7	6	3
5	6	8	3	1	7	4	2	9
7	4	3	9	6	2	1	8	5
8	2	7	5	9	3	6	1	4
3	1	6	4	7	8	9	5	2
9	5	4	6	2	1	3	7	8

217

2	3	9	5	8	1	4	6	7
8	6	1	3	4	7	5	2	9
5	7	4	9	2	6	8	1	3
6	9	8	4	1	5	7	3	2
7	4	2	6	3	8	9	5	1
1	5	3	7	9	2	6	8	4
3	8	5	2	7	4	1	9	6
4	2	6	1	5	9	3	7	8
9	1	7	8	6	3	2	4	5

218

8	5	2	1	4	6	3	7	9
7	1	6	5	9	3	2	4	8
3	9	4	8	2	7	5	1	6
4	3	1	9	6	5	8	2	7
6	8	7	4	3	2	9	5	1
5	2	9	7	8	1	6	3	4
1	6	8	3	5	4	7	9	2
9	4	5	2	7	8	1	6	3
2	7	3	6	1	9	4	8	5

219

6	4	9	5	8	2	7	3	1
7	8	2	3	6	1	5	4	9
5	3	1	4	9	7	8	2	6
2	6	4	7	1	3	9	5	8
1	9	3	8	2	5	6	7	4
8	7	5	9	4	6	2	1	3
9	2	7	1	3	8	4	6	5
4	1	6	2	5	9	3	8	7
3	5	8	6	7	4	1	9	2

220

4	5	7	9	3	1	2	6	8
6	9	2	7	4	8	5	1	3
8	3	1	5	2	6	4	7	9
3	2	6	1	9	5	7	8	4
9	8	5	3	7	4	1	2	6
1	7	4	8	6	2	9	3	5
2	4	8	6	5	7	3	9	1
5	1	9	2	8	3	6	4	7
7	6	3	4	1	9	8	5	2

221

4	5	3	9	1	2	6	8	7
2	8	9	7	6	4	5	3	1
7	1	6	5	8	3	2	4	9
3	9	7	2	4	6	1	5	8
5	2	8	3	9	1	7	6	4
6	4	1	8	5	7	9	2	3
8	6	4	1	2	9	3	7	5
9	7	5	6	3	8	4	1	2
1	3	2	4	7	5	8	9	6

222

4	3	5	7	9	2	8	1	6
1	2	6	4	8	3	9	7	5
7	8	9	5	1	6	2	4	3
9	4	2	3	7	5	6	8	1
8	6	7	9	2	1	3	5	4
5	1	3	6	4	8	7	9	2
6	7	4	2	5	9	1	3	8
2	5	8	1	3	7	4	6	9
3	9	1	8	6	4	5	2	7

223

1	2	4	3	5	9	8	7	6
9	8	3	2	6	7	1	5	4
6	7	5	8	1	4	2	9	3
3	1	6	9	2	8	5	4	7
4	5	2	7	3	6	9	8	1
7	9	8	1	4	5	6	3	2
8	6	1	5	7	3	4	2	9
2	3	9	4	8	1	7	6	5
5	4	7	6	9	2	3	1	8

224

6	3	4	8	2	5	9	1	7
5	2	1	9	7	3	6	8	4
9	8	7	6	4	1	5	2	3
3	5	8	4	1	9	7	6	2
1	7	2	3	6	8	4	5	9
4	9	6	7	5	2	8	3	1
8	4	9	1	3	6	2	7	5
2	6	3	5	9	7	1	4	8
7	1	5	2	8	4	3	9	6

225

7	6	2	1	3	5	8	4	9
9	5	1	4	2	8	3	7	6
8	3	4	9	6	7	1	2	5
4	7	3	6	5	9	2	8	1
1	2	6	7	8	3	9	5	4
5	8	9	2	1	4	7	6	3
6	1	8	5	9	2	4	3	7
3	9	7	8	4	6	5	1	2
2	4	5	3	7	1	6	9	8

226

6	1	5	2	8	3	4	7	9
4	2	7	5	9	6	8	1	3
3	8	9	7	4	1	5	2	6
5	4	8	1	6	9	7	3	2
2	6	3	8	7	5	9	4	1
7	9	1	4	3	2	6	5	8
8	5	6	3	1	4	2	9	7
9	3	4	6	2	7	1	8	5
1	7	2	9	5	8	3	6	4

227

9	4	6	2	5	8	3	7	1
8	5	2	3	1	7	9	6	4
7	1	3	9	6	4	2	5	8
2	9	4	8	3	5	6	1	7
3	7	1	4	2	6	8	9	5
6	8	5	7	9	1	4	3	2
5	2	8	6	7	3	1	4	9
4	3	7	1	8	9	5	2	6
1	6	9	5	4	2	7	8	3

228

8	5	1	7	2	4	9	6	3
2	6	4	9	1	3	5	8	7
9	7	3	5	6	8	1	4	2
7	1	5	4	8	2	6	3	9
3	9	2	1	7	6	8	5	4
4	8	6	3	5	9	2	7	1
6	4	8	2	3	1	7	9	5
5	2	9	6	4	7	3	1	8
1	3	7	8	9	5	4	2	6

229

4	9	2	7	1	8	3	5	6
5	1	6	4	3	9	8	2	7
3	7	8	2	6	5	4	9	1
9	8	3	6	7	4	5	1	2
7	6	4	5	2	1	9	3	8
1	2	5	9	8	3	7	6	4
8	3	9	1	4	6	2	7	5
2	4	1	3	5	7	6	8	9
6	5	7	8	9	2	1	4	3

230

1	8	7	4	6	2	5	3	9
6	3	2	1	5	9	4	8	7
4	5	9	3	7	8	2	6	1
2	1	5	9	8	7	3	4	6
9	7	3	6	2	4	8	1	5
8	6	4	5	3	1	9	7	2
7	4	6	8	9	5	1	2	3
3	9	8	2	1	6	7	5	4
5	2	1	7	4	3	6	9	8

231

4	8	5	6	3	2	9	7	1
3	9	7	8	1	4	2	5	6
2	1	6	9	7	5	8	3	4
6	7	8	1	4	3	5	2	9
1	5	3	2	9	6	4	8	7
9	2	4	7	5	8	6	1	3
7	4	2	5	6	1	3	9	8
5	3	1	4	8	9	7	6	2
8	6	9	3	2	7	1	4	5

232

2	5	3	1	6	4	7	8	9
8	1	7	9	5	3	6	2	4
6	4	9	8	7	2	1	5	3
5	9	8	7	2	1	3	4	6
4	7	6	3	8	5	9	1	2
1	3	2	4	9	6	5	7	8
9	2	4	6	1	7	8	3	5
3	6	1	5	4	8	2	9	7
7	8	5	2	3	9	4	6	1

233

9	6	1	7	5	8	3	2	4
3	8	2	4	1	9	5	7	6
5	7	4	6	3	2	1	9	8
2	4	9	5	8	1	7	6	3
8	3	5	9	6	7	4	1	2
6	1	7	3	2	4	8	5	9
7	2	8	1	4	6	9	3	5
4	9	3	2	7	5	6	8	1
1	5	6	8	9	3	2	4	7

234

9	1	8	5	7	6	2	4	3
7	3	6	4	9	2	1	8	5
2	5	4	8	1	3	6	7	9
6	4	9	1	3	8	5	2	7
5	7	3	2	6	9	4	1	8
1	8	2	7	5	4	9	3	6
8	6	5	3	4	1	7	9	2
4	2	7	9	8	5	3	6	1
3	9	1	6	2	7	8	5	4

235

6	5	8	7	3	4	1	9	2
2	4	7	9	5	1	8	6	3
3	1	9	2	6	8	4	5	7
5	2	6	4	1	3	7	8	9
7	8	1	6	9	2	3	4	5
9	3	4	5	8	7	2	1	6
4	9	2	1	7	5	6	3	8
8	7	5	3	4	6	9	2	1
1	6	3	8	2	9	5	7	4

236

6	3	1	2	5	7	8	4	9
2	5	4	6	8	9	7	1	3
7	9	8	4	1	3	6	2	5
8	1	9	3	6	4	2	5	7
3	6	7	9	2	5	1	8	4
4	2	5	8	7	1	3	9	6
5	7	2	1	9	6	4	3	8
9	8	3	7	4	2	5	6	1
1	4	6	5	3	8	9	7	2

237

8	3	1	6	2	7	4	5	9
2	4	5	3	9	8	1	7	6
9	7	6	1	4	5	8	2	3
1	5	2	4	6	9	7	3	8
3	9	7	5	8	2	6	1	4
4	6	8	7	3	1	2	9	5
7	8	9	2	5	6	3	4	1
5	1	3	8	7	4	9	6	2
6	2	4	9	1	3	5	8	7

238

7	2	3	1	5	8	6	4	9
5	1	8	6	4	9	3	2	7
6	9	4	7	3	2	1	5	8
4	6	2	8	1	7	5	9	3
1	8	9	3	2	5	4	7	6
3	7	5	4	9	6	8	1	2
9	3	1	2	8	4	7	6	5
8	5	6	9	7	1	2	3	4
2	4	7	5	6	3	9	8	1

239

5	3	6	7	1	2	8	4	9
2	9	1	4	6	8	3	7	5
4	7	8	3	9	5	1	2	6
8	4	3	2	5	1	9	6	7
1	6	2	9	3	7	4	5	8
9	5	7	6	8	4	2	3	1
3	1	4	8	7	6	5	9	2
6	2	5	1	4	9	7	8	3
7	8	9	5	2	3	6	1	4

240

9	2	4	6	1	3	7	5	8
7	3	8	2	4	5	1	6	9
6	1	5	8	7	9	3	4	2
3	8	2	1	5	6	9	7	4
1	6	9	7	8	4	5	2	3
4	5	7	3	9	2	8	1	6
8	9	6	5	2	1	4	3	7
5	4	3	9	6	7	2	8	1
2	7	1	4	3	8	6	9	5

241

7	1	2	3	4	8	6	9	5
6	8	9	5	7	1	2	4	3
4	3	5	6	9	2	7	1	8
8	6	4	7	2	5	9	3	1
9	7	1	8	6	3	4	5	2
5	2	3	9	1	4	8	6	7
3	5	7	4	8	6	1	2	9
2	9	6	1	3	7	5	8	4
1	4	8	2	5	9	3	7	6

242

3	2	9	1	5	7	8	6	4
5	1	8	2	4	6	9	3	7
7	4	6	3	9	8	5	1	2
6	8	2	4	7	5	1	9	3
1	7	4	9	8	3	6	2	5
9	5	3	6	2	1	4	7	8
4	9	1	8	3	2	7	5	6
8	3	7	5	6	9	2	4	1
2	6	5	7	1	4	3	8	9

243

3	4	5	6	2	8	1	7	9
1	8	7	5	3	9	6	4	2
9	6	2	4	7	1	5	3	8
2	7	3	9	5	6	4	8	1
8	1	6	3	4	2	9	5	7
4	5	9	8	1	7	3	2	6
6	3	8	2	9	4	7	1	5
7	2	4	1	6	5	8	9	3
5	9	1	7	8	3	2	6	4

244

2	7	8	5	3	9	6	1	4
3	4	1	2	7	6	9	5	8
6	5	9	8	4	1	2	3	7
1	6	3	7	8	2	4	9	5
7	9	4	1	5	3	8	6	2
8	2	5	6	9	4	3	7	1
4	3	7	9	1	8	5	2	6
9	1	2	4	6	5	7	8	3
5	8	6	3	2	7	1	4	9

245

4	2	5	6	7	3	9	8	1
8	3	6	1	2	9	5	4	7
7	1	9	4	8	5	2	3	6
1	5	8	2	3	7	6	9	4
3	4	7	8	9	6	1	5	2
6	9	2	5	4	1	3	7	8
2	7	1	3	5	4	8	6	9
5	8	4	9	6	2	7	1	3
9	6	3	7	1	8	4	2	5

246

1	8	9	2	3	6	5	7	4
6	2	4	7	9	5	8	1	3
3	5	7	8	1	4	6	2	9
4	6	1	5	7	3	2	9	8
8	9	3	6	4	2	1	5	7
5	7	2	9	8	1	3	4	6
9	1	6	4	2	8	7	3	5
2	4	5	3	6	7	9	8	1
7	3	8	1	5	9	4	6	2

247

5	1	7	6	3	8	4	2	9
3	6	9	2	7	4	8	5	1
8	2	4	9	5	1	3	6	7
6	9	3	4	1	5	7	8	2
7	5	1	8	2	6	9	4	3
4	8	2	3	9	7	6	1	5
2	3	6	1	8	9	5	7	4
9	4	5	7	6	2	1	3	8
1	7	8	5	4	3	2	9	6

248

7	4	1	3	5	8	6	2	9
5	8	9	2	4	6	3	7	1
2	3	6	1	7	9	8	5	4
8	1	4	7	9	2	5	3	6
6	5	7	4	1	3	9	8	2
9	2	3	8	6	5	1	4	7
3	6	5	9	2	7	4	1	8
1	7	8	6	3	4	2	9	5
4	9	2	5	8	1	7	6	3

249

6	8	4	7	3	1	9	2	5
7	3	5	2	9	6	4	8	1
2	9	1	4	8	5	7	3	6
9	4	6	8	7	3	5	1	2
3	5	8	1	2	4	6	7	9
1	7	2	5	6	9	3	4	8
8	2	3	9	5	7	1	6	4
4	6	9	3	1	2	8	5	7
5	1	7	6	4	8	2	9	3

250

5	1	4	9	2	7	8	3	6
7	6	8	3	4	5	1	9	2
2	9	3	6	8	1	5	4	7
9	8	2	4	3	6	7	1	5
1	3	5	7	9	8	6	2	4
6	4	7	1	5	2	9	8	3
3	2	6	5	1	9	4	7	8
4	5	1	8	7	3	2	6	9
8	7	9	2	6	4	3	5	1

251

7	9	8	5	1	4	6	3	2
6	1	3	8	7	2	4	9	5
2	5	4	6	9	3	8	1	7
9	2	7	3	4	5	1	6	8
4	3	1	7	6	8	5	2	9
5	8	6	1	2	9	3	7	4
3	7	9	4	5	1	2	8	6
1	4	2	9	8	6	7	5	3
8	6	5	2	3	7	9	4	1

252

5	1	7	8	2	3	6	9	4
8	2	6	5	9	4	1	3	7
9	4	3	1	6	7	8	5	2
3	5	2	6	4	1	7	8	9
7	9	8	2	3	5	4	1	6
1	6	4	9	7	8	3	2	5
4	7	9	3	8	2	5	6	1
2	3	1	7	5	6	9	4	8
6	8	5	4	1	9	2	7	3

253

6	8	5	1	4	3	9	7	2
4	1	2	7	9	5	8	6	3
7	3	9	6	8	2	1	5	4
1	2	8	4	6	9	7	3	5
5	7	3	2	1	8	4	9	6
9	4	6	3	5	7	2	8	1
3	5	1	9	7	4	6	2	8
8	6	7	5	2	1	3	4	9
2	9	4	8	3	6	5	1	7

254

9	6	4	3	7	5	8	2	1
2	5	3	1	9	8	4	7	6
8	7	1	2	6	4	3	9	5
7	8	5	6	1	3	9	4	2
6	1	9	8	4	2	5	3	7
4	3	2	7	5	9	6	1	8
5	4	6	9	2	7	1	8	3
1	2	8	4	3	6	7	5	9
3	9	7	5	8	1	2	6	4

255

7	5	8	2	3	4	6	1	9
2	1	4	9	7	6	3	5	8
6	3	9	1	8	5	7	2	4
8	4	1	7	2	9	5	6	3
5	9	2	4	6	3	1	8	7
3	7	6	5	1	8	4	9	2
1	6	3	8	9	7	2	4	5
9	2	5	3	4	1	8	7	6
4	8	7	6	5	2	9	3	1

256

3	8	6	1	7	4	5	2	9
7	9	1	2	3	5	6	4	8
2	5	4	8	9	6	3	7	1
6	1	7	5	4	8	9	3	2
4	3	8	9	1	2	7	5	6
5	2	9	3	6	7	1	8	4
9	7	2	4	5	1	8	6	3
8	6	3	7	2	9	4	1	5
1	4	5	6	8	3	2	9	7

257

7	1	4	8	9	2	5	3	6
8	9	5	3	1	6	2	7	4
3	6	2	5	4	7	9	8	1
5	7	8	6	3	9	1	4	2
1	2	9	4	8	5	3	6	7
6	4	3	2	7	1	8	9	5
2	3	7	1	6	8	4	5	9
9	8	1	7	5	4	6	2	3
4	5	6	9	2	3	7	1	8

258

1	2	5	4	8	6	9	3	7
4	3	8	7	5	9	6	1	2
7	6	9	1	2	3	4	5	8
3	9	4	8	6	1	7	2	5
8	5	7	2	9	4	3	6	1
2	1	6	3	7	5	8	9	4
6	4	1	5	3	8	2	7	9
5	7	3	9	4	2	1	8	6
9	8	2	6	1	7	5	4	3

259

7	3	6	1	8	5	4	2	9
4	8	1	9	3	2	7	5	6
2	9	5	4	7	6	1	8	3
9	2	8	6	1	4	5	3	7
6	1	3	5	9	7	8	4	2
5	7	4	8	2	3	9	6	1
3	5	7	2	4	1	6	9	8
1	4	9	3	6	8	2	7	5
8	6	2	7	5	9	3	1	4

260

2	4	1	6	8	5	9	7	3
5	6	7	9	3	2	8	4	1
3	9	8	7	1	4	5	2	6
8	5	3	2	6	7	4	1	9
9	2	6	1	4	3	7	5	8
7	1	4	5	9	8	3	6	2
6	3	5	8	7	1	2	9	4
1	8	2	4	5	9	6	3	7
4	7	9	3	2	6	1	8	5

261

9	8	2	5	4	1	7	3	6
1	3	7	2	8	6	4	9	5
5	6	4	3	7	9	8	1	2
6	1	3	9	2	7	5	8	4
2	4	9	1	5	8	3	6	7
7	5	8	6	3	4	9	2	1
4	2	6	7	9	3	1	5	8
3	7	5	8	1	2	6	4	9
8	9	1	4	6	5	2	7	3

262

2	1	5	7	9	3	4	6	8
9	3	6	2	8	4	7	5	1
8	7	4	5	1	6	2	3	9
1	2	3	6	5	9	8	4	7
5	9	8	3	4	7	1	2	6
6	4	7	8	2	1	3	9	5
3	6	1	9	7	2	5	8	4
7	8	2	4	6	5	9	1	3
4	5	9	1	3	8	6	7	2

263

1	3	9	5	2	8	6	7	4
6	5	2	7	4	3	1	8	9
7	4	8	1	6	9	2	5	3
4	9	5	2	8	1	3	6	7
8	1	3	6	7	4	9	2	5
2	7	6	9	3	5	4	1	8
5	8	1	3	9	6	7	4	2
9	2	4	8	1	7	5	3	6
3	6	7	4	5	2	8	9	1

264

5	7	6	2	3	4	8	1	9
8	9	2	1	7	5	4	6	3
3	1	4	9	8	6	5	7	2
9	3	5	7	1	2	6	8	4
4	6	1	3	5	8	2	9	7
7	2	8	4	6	9	3	5	1
2	5	9	6	4	7	1	3	8
1	8	7	5	2	3	9	4	6
6	4	3	8	9	1	7	2	5

265

1	6	2	3	9	7	4	5	8
9	5	8	2	4	1	3	6	7
4	3	7	8	6	5	9	2	1
5	8	6	1	7	4	2	9	3
2	4	1	5	3	9	8	7	6
7	9	3	6	8	2	5	1	4
3	2	4	9	1	6	7	8	5
8	1	5	7	2	3	6	4	9
6	7	9	4	5	8	1	3	2

266

1	4	8	6	5	3	9	2	7
9	6	3	2	7	8	5	4	1
7	2	5	4	1	9	8	3	6
2	8	6	7	9	5	4	1	3
3	1	7	8	2	4	6	5	9
4	5	9	3	6	1	2	7	8
5	7	2	1	8	6	3	9	4
8	3	1	9	4	2	7	6	5
6	9	4	5	3	7	1	8	2

267

3	2	7	5	6	9	4	1	8
5	4	1	3	7	8	2	9	6
8	6	9	4	1	2	5	7	3
6	5	3	8	4	7	9	2	1
2	7	4	6	9	1	3	8	5
1	9	8	2	3	5	6	4	7
9	8	6	1	5	4	7	3	2
7	1	5	9	2	3	8	6	4
4	3	2	7	8	6	1	5	9

268

6	5	9	4	1	2	7	8	3
3	8	1	7	9	5	2	4	6
4	2	7	3	6	8	9	1	5
5	1	4	2	8	7	3	6	9
9	6	8	1	5	3	4	7	2
7	3	2	9	4	6	1	5	8
8	7	3	5	2	1	6	9	4
1	9	6	8	3	4	5	2	7
2	4	5	6	7	9	8	3	1

269

6	8	5	1	4	7	9	3	2
9	3	1	8	2	6	5	4	7
4	2	7	3	5	9	1	8	6
3	5	8	7	1	4	2	6	9
2	1	4	9	6	5	3	7	8
7	9	6	2	8	3	4	1	5
5	4	2	6	7	1	8	9	3
1	6	9	5	3	8	7	2	4
8	7	3	4	9	2	6	5	1

270

8	4	5	9	6	7	3	1	2
7	6	1	3	4	2	8	9	5
3	2	9	5	8	1	6	4	7
6	1	2	8	7	5	9	3	4
5	9	7	4	1	3	2	6	8
4	3	8	6	2	9	7	5	1
2	7	6	1	9	4	5	8	3
9	5	4	7	3	8	1	2	6
1	8	3	2	5	6	4	7	9

271

9	5	2	6	8	4	3	1	7
3	4	7	1	2	5	6	9	8
1	8	6	9	3	7	4	5	2
5	2	1	4	6	9	7	8	3
4	6	9	3	7	8	5	2	1
7	3	8	2	5	1	9	4	6
8	1	3	5	4	6	2	7	9
6	9	4	7	1	2	8	3	5
2	7	5	8	9	3	1	6	4

272

3	6	2	1	5	4	7	9	8
7	1	4	9	3	8	6	5	2
8	9	5	2	7	6	1	4	3
9	8	1	4	2	3	5	7	6
6	5	3	7	1	9	2	8	4
4	2	7	8	6	5	9	3	1
2	7	8	3	9	1	4	6	5
1	4	6	5	8	7	3	2	9
5	3	9	6	4	2	8	1	7

273

5	6	3	9	2	7	8	1	4
7	1	9	6	8	4	5	3	2
2	8	4	3	5	1	7	9	6
9	4	2	5	7	6	3	8	1
8	7	6	1	9	3	4	2	5
3	5	1	2	4	8	6	7	9
4	2	8	7	6	9	1	5	3
6	3	5	8	1	2	9	4	7
1	9	7	4	3	5	2	6	8

274

5	7	6	2	4	1	3	8	9
3	9	1	8	6	7	2	4	5
4	8	2	3	9	5	1	7	6
8	1	4	9	3	6	7	5	2
7	6	3	5	1	2	8	9	4
2	5	9	4	7	8	6	3	1
1	2	8	7	5	9	4	6	3
9	4	7	6	2	3	5	1	8
6	3	5	1	8	4	9	2	7

275

4	6	9	3	2	7	8	1	5
2	1	8	6	4	5	9	7	3
5	3	7	9	1	8	4	6	2
8	2	6	5	9	4	7	3	1
7	9	3	1	8	6	2	5	4
1	4	5	2	7	3	6	8	9
9	7	2	8	3	1	5	4	6
6	8	1	4	5	2	3	9	7
3	5	4	7	6	9	1	2	8

276

3	7	6	4	9	1	5	2	8
9	1	5	2	8	7	6	4	3
8	2	4	5	6	3	7	1	9
4	6	3	8	1	5	2	9	7
2	8	9	7	3	6	1	5	4
7	5	1	9	2	4	8	3	6
1	3	8	6	4	2	9	7	5
5	9	2	3	7	8	4	6	1
6	4	7	1	5	9	3	8	2

277

9	6	4	5	3	7	2	1	8
3	5	2	8	9	1	7	4	6
8	7	1	4	2	6	9	5	3
2	1	5	6	4	9	3	8	7
6	3	8	1	7	5	4	9	2
4	9	7	3	8	2	1	6	5
1	4	3	7	5	8	6	2	9
7	8	9	2	6	4	5	3	1
5	2	6	9	1	3	8	7	4

278

9	7	2	1	6	8	4	5	3
8	3	5	4	2	7	9	1	6
6	4	1	3	5	9	2	8	7
4	2	9	5	8	6	3	7	1
7	6	3	2	1	4	8	9	5
5	1	8	9	7	3	6	2	4
3	8	4	7	9	1	5	6	2
1	5	6	8	3	2	7	4	9
2	9	7	6	4	5	1	3	8

279

2	6	9	1	5	3	8	4	7
5	7	1	9	8	4	6	2	3
4	3	8	6	2	7	1	5	9
8	9	6	2	4	1	3	7	5
3	1	5	7	9	8	2	6	4
7	4	2	5	3	6	9	1	8
1	2	4	8	7	9	5	3	6
6	8	3	4	1	5	7	9	2
9	5	7	3	6	2	4	8	1

280

5	3	9	1	4	7	6	8	2
4	7	2	8	6	9	3	1	5
6	8	1	3	2	5	4	7	9
8	9	4	5	1	6	2	3	7
7	1	5	2	8	3	9	4	6
3	2	6	7	9	4	1	5	8
2	4	8	6	7	1	5	9	3
9	6	3	4	5	8	7	2	1
1	5	7	9	3	2	8	6	4

281

6	9	4	1	3	2	5	7	8
5	8	7	4	6	9	1	2	3
3	1	2	5	7	8	9	6	4
1	6	8	9	4	5	2	3	7
4	7	5	8	2	3	6	1	9
9	2	3	7	1	6	4	8	5
8	3	1	2	5	4	7	9	6
2	5	6	3	9	7	8	4	1
7	4	9	6	8	1	3	5	2

282

9	1	6	4	3	8	2	7	5
5	3	2	9	6	7	1	4	8
4	7	8	1	5	2	6	3	9
8	5	9	6	1	3	7	2	4
3	6	7	2	9	4	8	5	1
2	4	1	7	8	5	9	6	3
6	9	4	5	7	1	3	8	2
7	2	3	8	4	9	5	1	6
1	8	5	3	2	6	4	9	7

283

7	8	3	6	1	9	4	2	5
9	6	2	3	5	4	1	7	8
4	5	1	8	7	2	9	6	3
6	3	7	9	8	1	5	4	2
8	4	9	2	3	5	7	1	6
1	2	5	4	6	7	3	8	9
2	7	8	5	4	3	6	9	1
3	1	6	7	9	8	2	5	4
5	9	4	1	2	6	8	3	7

284

1	4	9	8	5	6	3	2	7
3	6	5	7	2	4	8	1	9
8	2	7	9	1	3	5	4	6
7	8	4	2	3	5	9	6	1
5	9	6	1	4	7	2	8	3
2	1	3	6	8	9	4	7	5
4	5	8	3	7	1	6	9	2
9	7	2	5	6	8	1	3	4
6	3	1	4	9	2	7	5	8

285

5	8	9	4	7	3	6	1	2
7	2	3	8	6	1	5	4	9
4	6	1	2	5	9	7	8	3
3	4	5	7	2	6	1	9	8
8	9	6	1	4	5	2	3	7
1	7	2	3	9	8	4	6	5
6	5	4	9	3	2	8	7	1
2	3	8	6	1	7	9	5	4
9	1	7	5	8	4	3	2	6

286

7	6	9	1	3	8	2	5	4
3	8	5	4	6	2	7	9	1
4	2	1	5	9	7	3	8	6
8	5	6	3	4	9	1	7	2
1	3	4	2	7	5	9	6	8
9	7	2	8	1	6	5	4	3
2	1	8	7	5	4	6	3	9
6	4	7	9	2	3	8	1	5
5	9	3	6	8	1	4	2	7

287

6	5	1	8	4	3	2	7	9
2	8	3	1	7	9	6	5	4
9	7	4	6	5	2	8	1	3
1	4	8	3	2	5	7	9	6
3	6	9	7	1	8	5	4	2
5	2	7	4	9	6	1	3	8
7	3	2	9	8	1	4	6	5
8	1	6	5	3	4	9	2	7
4	9	5	2	6	7	3	8	1

288

3	1	6	4	8	5	2	7	9
5	2	8	7	9	6	3	4	1
9	7	4	1	3	2	6	5	8
7	4	1	3	5	8	9	2	6
8	6	3	2	7	9	5	1	4
2	9	5	6	4	1	7	8	3
6	5	2	9	1	4	8	3	7
4	8	7	5	6	3	1	9	2
1	3	9	8	2	7	4	6	5

289

9	6	4	2	3	1	7	8	5
8	3	5	6	4	7	1	2	9
1	2	7	9	8	5	6	3	4
4	9	2	7	6	3	5	1	8
5	8	6	1	2	9	4	7	3
7	1	3	8	5	4	9	6	2
2	4	8	5	7	6	3	9	1
3	7	1	4	9	2	8	5	6
6	5	9	3	1	8	2	4	7

290

9	5	6	7	4	2	8	1	3
3	8	7	6	1	5	9	4	2
4	2	1	3	9	8	5	7	6
1	7	8	5	6	4	3	2	9
6	9	4	8	2	3	7	5	1
2	3	5	9	7	1	4	6	8
8	6	3	2	5	7	1	9	4
7	1	9	4	3	6	2	8	5
5	4	2	1	8	9	6	3	7

291

7	6	3	1	9	8	2	4	5
1	8	4	2	5	3	7	6	9
9	5	2	7	4	6	1	3	8
5	3	7	8	2	1	6	9	4
6	9	8	4	3	7	5	1	2
4	2	1	9	6	5	3	8	7
3	7	9	5	1	4	8	2	6
8	4	6	3	7	2	9	5	1
2	1	5	6	8	9	4	7	3

292

8	6	1	4	2	5	7	9	3
5	4	9	6	7	3	2	8	1
7	3	2	8	9	1	5	4	6
6	5	3	2	4	8	9	1	7
1	7	4	5	6	9	3	2	8
2	9	8	3	1	7	6	5	4
4	1	5	9	3	6	8	7	2
3	8	7	1	5	2	4	6	9
9	2	6	7	8	4	1	3	5

293

8	4	2	9	5	3	1	7	6
3	6	7	4	1	2	9	8	5
1	9	5	7	8	6	2	4	3
4	3	9	6	2	7	8	5	1
2	8	6	5	3	1	4	9	7
7	5	1	8	9	4	6	3	2
9	1	3	2	4	5	7	6	8
6	2	4	3	7	8	5	1	9
5	7	8	1	6	9	3	2	4

294

3	7	2	9	5	4	6	8	1
9	8	4	1	6	2	3	5	7
5	1	6	8	3	7	2	4	9
7	5	9	4	8	3	1	2	6
8	4	3	2	1	6	7	9	5
6	2	1	5	7	9	8	3	4
1	3	8	6	9	5	4	7	2
4	6	5	7	2	8	9	1	3
2	9	7	3	4	1	5	6	8

295

4	6	5	3	1	7	9	2	8
9	8	7	5	4	2	3	6	1
3	1	2	6	9	8	5	4	7
8	2	9	7	5	3	4	1	6
1	4	3	2	6	9	8	7	5
5	7	6	4	8	1	2	3	9
6	9	4	1	2	5	7	8	3
2	3	8	9	7	6	1	5	4
7	5	1	8	3	4	6	9	2

296

3	9	5	6	1	2	8	7	4
4	8	1	5	7	3	2	6	9
6	7	2	8	9	4	1	3	5
9	2	4	1	8	7	3	5	6
7	5	3	2	4	6	9	8	1
8	1	6	3	5	9	4	2	7
1	3	8	4	6	5	7	9	2
5	4	9	7	2	8	6	1	3
2	6	7	9	3	1	5	4	8

297

5	4	1	8	7	2	9	6	3
3	2	6	9	5	4	1	7	8
7	8	9	1	6	3	5	4	2
2	1	7	4	8	6	3	9	5
8	9	5	2	3	7	6	1	4
4	6	3	5	1	9	2	8	7
6	7	8	3	9	5	4	2	1
1	5	2	6	4	8	7	3	9
9	3	4	7	2	1	8	5	6

298

9	8	3	5	4	2	1	7	6
7	4	5	3	6	1	8	9	2
6	1	2	8	7	9	5	4	3
8	9	6	2	5	7	4	3	1
3	7	1	9	8	4	2	6	5
2	5	4	1	3	6	9	8	7
1	2	7	6	9	8	3	5	4
4	3	9	7	2	5	6	1	8
5	6	8	4	1	3	7	2	9

299

2	7	4	5	6	1	9	3	8
5	1	9	2	3	8	4	7	6
6	8	3	4	7	9	5	2	1
4	6	5	9	1	2	7	8	3
3	2	1	7	8	5	6	9	4
8	9	7	3	4	6	1	5	2
9	4	8	1	5	3	2	6	7
1	3	2	6	9	7	8	4	5
7	5	6	8	2	4	3	1	9

300

8	5	3	7	2	4	6	1	9
4	7	1	6	9	5	2	3	8
2	6	9	1	3	8	5	7	4
6	3	2	8	4	1	7	9	5
5	1	4	9	7	6	3	8	2
7	9	8	3	5	2	1	4	6
9	8	7	5	6	3	4	2	1
3	2	5	4	1	9	8	6	7
1	4	6	2	8	7	9	5	3